KB158272

코로나 19시대

은퇴한 시골 노인의 가을 이야기

코로나 19시대 은퇴한 시골 노인의 가을 이야기

인　　쇄 : 2021년 1월 5일 초판 1쇄
발　　행 : 2021년 5월 10일　　　2쇄
지은이 : 오석원
펴낸이 : 오태영
출판사 : 진달래
신고 번호 : 제25100-2020-000085호
신고 일자 : 2020.10.29
주　　소 : 서울시 구로구 부일로 985, 101호
전　　화 : 02-2688-1561
이메일 : 5morning@naver.com
인쇄소 : TECH D & P(마포구)

값 : 11,000원
ISBN : 979-11-972924-2-2
　CIP　2020054200

코로나 19시대

은퇴한 시골 노인의
가을 이야기

오석원 시집

진달래 출판사

시인에 대하여

시인 오석원은 1947년. 전남 강진에서 태어나. 전남 장흥중과 광주일고를 나온 뒤 전남대에서 수학하였고, 국세청 공무원으로 30년 넘게 봉직(奉職)하고 명예퇴직하여 20년이 넘는 세월을 **생거진천(生居鎭川)** 농다리 길에서 귀농 시인으로 살고 있다.

매일 두세 시간씩 맑고 깨끗한 공기를 마시며 걷기를 한 뒤 그날의 감상을 적고 있는데 한 마디 한 마디가 그대로 시다.

보고 느낀 그대로, 삶에서 길어 올린 따뜻한 사랑이 담긴 시어(詩語)와. 피아졸라의 망각(Oblivion)을 닮은 잔잔한 리듬이 독자의 마음을 깨끗하게 씻어 준다. 강요하지 않는 삶의 지혜와 연륜이 묻어나는 시인(詩人)의 목소리가 코로나 19로 힘든 오늘을 사는 우리에게 조용한 위로를 준다.--------오태영(작가)

축하의 글을 쓴
아들 오형기 가족

차 례

들어가는 말

발버둥 치며 살다 보면
망가지고 찢기고 상처투성이로 남겨진 채,
가는 길에 고생깨나 하면서 떠나는
많은 사람을 보게 된다.

직장생활은 상하 관계며 동료 간의 부딪힘 속에
스스로 발전을 꾀하다 보면
많은 스트레스가 쌓일 수밖에 없고,

은퇴할 때쯤엔
고민할 만큼의 건강상태로
성인병을 품게 되는 주변 사람이 너무나 많다.

나 또한
정년을 몇 년 앞둔 시점에서
혈압 당뇨에 고지혈증으로
몸이 많이 망가진 모습은
환갑이라도 지내게 될 것인지?
걱정하는 순간에 이르게 된다.

우연한 기회에 진천 농다리 길 산속에
집을 마련해두고 있어서
명예퇴직으로 직장을 마감하고,
시골 생활을 시작하게 되었다.

집 뒤로 산이 연결되어 산을 타고
걷는 것으로 건강을 찾고자 했으며
먹을거리는 내 땅에서 직접 키워
스스로 해결하며 맑은 곳에서 살다 보니,
건강이 회복되어감을 느낄 수가 있었다.

농다리 둘레에 초평호수가 있고
금강으로 흘러가는 미호천이 이어진 곳에는
양천산 줄기의
은여울 산이 위치한다.

하루가 시작되면 특별한 볼일이 없으면
애견 율무와 의무적으로
수목원을 지나 오솔길을 오른다.

봉우리 2개를 넘어서 초평호를
바라보면서 되돌아 내려오면
2시간에 만 보 정도를 걷게 된다.

7~8km의 산오름을 날마다 하다 보니
건강이 크게 회복되고
마지막을 향해 가는 길목에서
치매를 차단하고자 일정을 글로 남기다 보니
이 책을 남기게 된다.

건강은 건강할 때 스스로 노력하면 지켜낼 수가
있다는 걸 내 몸이 증명한다.
60을 목표로 한 시골에서의 내 생활이
며칠 후면 75살이다.

산에서 움직이며 날마다 걷는 모습,
건강을 지켜내는 은퇴자의 모습이
아닐까 생각한다.
움직이는 내 모습이 생활 시인의
영광을 나에게 선물한다.

많이 움직여야 100세를 보증한다.
은퇴 후 생활은 물 맑고 공기 좋은
시골 조용한 곳에서 자연과 함께….

2020년 12월

귀농 시인 오석원

Part 1

코로나 19에도

가을은

오고 있어요

가을이 시작되는 소리

9월이 오늘부터인,
새벽
눈뜨자마자 마당에 서본다.

동쪽 하늘 산봉우리
해맞이 직전의 아름다움이
구름으로 말한다.

새털구름인지
여러 조각 무늬를 앉고
일출을 맞이하려 모여들고 있다.

가을이 시작되는 9월,
"9월이 오는 소리"
노랫가락이
어제부터 카톡방에
메뉴로 떠오르더니,
진짜로 9월에 들어선다.

오늘이 초하루다.

제법 선선한 아침 공기가
세월을 읽어준다.

남쪽에선 마이삭 태풍이
거세게 올라선다는데.

태풍 전야의 고요함이
은여울 산 오솔길에도
바람 한 점 없이 내 몸에
분위기를 전해온다.

가을 테이프를 자르고
은여울 산에 율무와
들어선다.

땀으로 말하는 건강
스스로 알아서
지켜야만 내가 존재한다.

어제는 늦은 밤에
그렇게도 짖어대며
집 뒤를 날뛰더니.
멧돼지가 왔던 거 같다.

자연인이 산속에서
개와 함께 지내는 사유?
율무 네가 할 일이 생겼구나.
산에 사는 날 보호하는 그 일이다.
네 모습이 장하다.

포도 농장

서울 가는 길이 바뀌었다.

버스로 이동하다가
최근엔 기차표를 예약하여
수도권을 다녀봤다.

장마에 충북선 기차가
멈춘 지 2달이 지나간다.

버스 타고 힘들게
서울을 가긴 싫다.
코로나 염려되어 사람이
두려우니
방법을 찾아야 했다.

마스크 쓰고 서울로
이어지는 지하철을
연계해본다.

집에서 지하철이
가장 가까운 곳,
천안 위쪽 성환이다.

입장이 주변이니
포도 사과가 엄청난 곳
길거리에서 몽땅몽땅 사 들고,

냉장고에 보관하면
내 뱃속이 포근하다.
마이삭이 올라오는지
서울에서 내려서는 오후

비가 억수로 퍼붓는다.
포도 농장에 텐트 치고 있는 곳,
단골로 나는 방문한다.

비 오는 오늘도
그냥 지나칠 수가 없었다.
반갑게 날 알아보는
주인 할머니 할아버지
덤으로 몇 송이를 더 준다.

씨 없는 포도
씨 없는 수박이 아니다.
너무 맛있다.
오늘을 넘기면서

오물오물 포도를 씹는다.
맛은 먹는 사람만 안다.

마이삭 9호 태풍

약간의 빗물을 쏟아내고
바람결 일으키며 동해로 빠졌단다.

뒷바람이 선선하게
등 뒤로 밀려오는 오늘,
은여울 오솔길에 율무와
함께한다.

비가 오나 눈이 오나
그 시간이 되면,
산에 가자고 보채는 통에
출발은 율무의 뜻이 많다.

미호천 상류의 불어난
흙탕물이며
오솔길에 쏟아져 내린
썩은 나뭇가지가 태풍
마이삭의 자국으로 보인다.

10호 태풍 하이선이
남해를 통해 내륙으로
방향을 잡은 체,
며칠 후면 올라선다니

또 한걱정해야 한다.

태풍이 연속으로 올라서니
몰아치던 부동산 광풍이며
짓누르는 세금 문제가
슬쩍 뒤로 돌아선 듯하다.

코로나며 태풍으로
정치하는 무리가 숨뜨기를
할 수 있음에,

언론이 얼마나 대단하며
여론을 만들어내는 방편인지를
많이 생각해본다.

신천지며 사랑의교회
광화문집회로 코로나 뿌리를 추적하며
방역업무를 해나가더니,
요즘은 의사들과 한판
붙는 느낌이다.

자유시장 경제에
민주주의를 부르짖던
그런 세상으로 돌아가고 싶다.

태풍이 다녀간 뒤

해맞이 햇살이 매우 맑다.

하늘이 높고
바람이 밀고 간 뒤라서 검은 구름도 아예 없다.

태풍이 다녀간 뒤
산속에 인터넷 선 어딘가 문제가 있었던지
고장신고 뒤 기다린다.

광케이블에서 빠져나온 시골이라서
이따금 애로사항이 발생한다.

현대문물에 익숙하진 않더라도 따라는 가야
내 위치가 있다.

자꾸만 신세대의 터치 언어에
혼자서 낑낑대며,
안타까운 내 맘을 망설이며
찾아보며 혼자서 웃곤 한다.

선선한 아침에 백로(白露) 이슬방울이,
슬리퍼 언저리로 내 발 등을
적셔대는 요즘이다.

진천의 명물

어두컴컴,
구름이 잔뜩 낀 오늘이다.
기상변화가 예측불허다.

율무와 나서는 은여울 오솔길
땀 흘리며 걷다 보니
제법 굵은 도토리?
상수린 것 같기도 하나,

까놓으면 묵이 된다.
올해에는 줍지 않겠다고
조용히 약속했는데.

오솔길 길목에 굵은 알맹이
내 눈에 들어오니
보이는 것을 피할 수가 없다.
호주머니에 담는다.
찾는 행동은 하지 않겠다.

구지뽕 나무엔 붉게 익어가는
구지뽕 열매가 앞뜰에 주렁주렁,
벌이 먹고 이쁜 새가 쪼아먹고
틈나면 따야 할 거 같은데.

내 몸에 좋다고 몇 년 전에
심어준 아름다움이 고맙다.

따는 것 그것도
게으름 피우는 내가
많이 변한 것 같다.

어젯밤
보이스트롯 준결승전에서
평사낙안(平沙落雁) 산기슭에 사는 김다현 어린이가
진천 출신으로 "아모르파티"를 불러
김연자 레전드가 심사하는 곳에서
멋지게 준결승 고개를 넘는다.

청학동 김봉곤옹은 조선 시대 삶을 사는
그런 분으로 알고 있는데.

진천으로 이사 와서는 자식 교육이며 사는
여러 모습이 많이 변해 있음을 가까이서
늘 보고 있다.

은여울 산행길 강변이
평사낙안이니,
진천의 명물로 다시 태어난듯하다.

원래 주인

30도를 축으로 더위를 쏟아내더니
20도 안팎으로 날씨가 변해온다.

반소매 반바지로 산행
해오고 있는데,
몸을 단속하며
움직여야 할 거 같다.

계절이 바뀌고 세월이
올해 말에 가까워짐을
빠른 세월 속에서 계산하고
있는 나를 본다.

어젠
율무를 키우던
원래의 율무주인 가족이,
진천을 방문했다.

나 혼자 별채에서 지내며
운동도 같이하던 녀석이,
옛 가족을 만나더니
날 쳐다보는 눈매가 다르다.

옛날 생각에 집을 떠난
옛 가족을 못 잊으며
안절부절못한다.

도로를 따라서 혼자
떠나버리고,
낑낑대며 찾는 눈치가
정들었던 그 감정을
못 이겨내는 모습을 보면서.

내가
어떻게 해야 요녀석 맘을
대타가 아닌 주인으로
자리 잡을까?
다시 생각한다.

10호 태풍 하이선이
동해 쪽으로,
비껴간다는 반가운
뉴스가 보인다.

하이선

아침 햇살이 너무 밝다.

태풍이 지나간 후
비도 멈추고 잔바람만,
살랑이는 아침이다.

장미, 마이삭, 하이선으로
이름 붙여진 태풍이 연이어
한반도를 훑으며 떠났지만,

내가 사는 곳 내륙의 중심,
진천은 크게 피해를 보진 않은 거 같다.

생거진천이 떠오른다.

오는 태풍이 너울이라고
이름 지어져 11호 태풍이고
북한이 지어준 이름이니,

올 것인지 안 올 것인지?
불투명하다.
올해에는 하이선으로,
마감되었으면 해본다.

미호천 강변에 흙탕물 흐르고
은여울 산자락은 습기를 잔뜩 머금고
시원함을 전해온다.

시작지점 잣나무길 수목원
낙엽에 물이 흠뻑 묻어
발바닥에 오는 쿠션,
그만이다.

율무는 어제 쉬어선지
이리 뛰고 저리 뛰고,
등을 비벼대며
세상에서 가장 행복하다.

율무야!
갇혀서 지내는 네 친구
생각하면서 즐기거라.

등 쪽에 흐르는 땀방울을
느끼면서 아득히 들리는
매미 울음소리에
더위를 함께 섞어낸다.

오솔길 여기저기 쏟아진
도토리에 눈 맞춤을 이어간다.
줍는 거는 이따금.

어제는 백로(白露)

처서가 지나면
식물의 성장이 멈춘다.

가을 단풍이 이때부터 시작된다고.
귀촌했을 때
동네 이장한테 들은 얘기다.

처서 지나서 논둑에 풀을
깎아주면 농사일하는데
크게 도움 된다는 그 말.

예초기로 풀 깎는 도로정비 인부들도
그때를 맞춰서 작업한다.

태풍에 장마에
틈을 못 낸 나머지 처서 지나
백로가 지난 어제.
예초기로 4시간 힘든 작업 마무리했다.

후련하고 시원하다
내년 봄까지 풀 걱정은 없어진다.
온 삭신이 엉기고 뒤집히듯
엄청 힘든 작업이었다.

자연은 아름다운 것

구지뽕 열매가 빨갛게
나뭇가지를 점령한다.

수없이 많은 새가
쪼아먹느라 야단이다.

이쁜 새야!
당뇨에 좋다는 열매인데
너희들도 앓고 있는 거냐?

많은 새가 먹이 찾아 쪼는 통에
내가 먹으려 심어둔 정성스러운
그 마음이 벗어나려 한다.

익은 걸 모두 훑어 두고
조용히 먹는다.

단맛도 있고 고유의 과일 맛도
내 입맛을 당겨준다.

맑지 않은 날씨 속에
은여울 산 오솔길을 오르는
율무와 나다.

흐르는 땀만큼 보람을
느껴보며.

똑같은 코스를
매일 다가서지만,
갈 때마다 느낌이 다르다.

숲의 분위기며 공기,
하늘색
심지어 울어대는 새소리
매미 울음소리까지
다르다.

자연은 아름다운 것
자연 속에서 변화하는
모습을 살피며
그냥 살아간다.

언제까지 갈지는,
자연만이 알 것이다.

지킬 거 지켜가며
내 몸도 지킬 것 속에
다듬어 넣어본다.

어느샌가 가을

완연한 가을,
날씨가 말한다.

잠자리 덮을 이불이
새벽으론 꼭 필요하다.

그렇게도 무덥고 힘들게
여름을 지내고 나니,
어느샌가 가을 깊숙이
세월이 들어섰다.

콤바인 농기계가
벼 베러 들어가는 수확 시기가
임박하니,
백일홍 꽃 색깔이 더더욱
붉어진다.

추석이 임박한 지
성묘며 시골 나들이,
자제하라는 방역 안내방송이
아침부터 여기저기서 들려온다.

산에 올라 땀 흘리며

내 생활을 돌아본다.

맑은 하늘 푸른 숲속
쉼 없이 느끼지만,
어쩐지 부족하다.

서유석이 불러주던
가는 세월 노랫가락만
중얼대면 되는 거냐?

추석 명절에 각자 지내자고
약속이나 해둬야겠다.

스스로 챙기면서
추석 나들이는 없는 거다.

아무도 없는 고향 쪽
가족 묘원에서
부모 조상님과 함께
보내리라.

작년 오늘은 추석(秋夕)

산들산들 불던 바람
가을인가 했더니
비와 함께 부는 바람,
차갑게 들어온다.

어젯밤부터 오늘 오전
현재까지
쉬지 않고 내리는 비,
너무나 지겹다.

가야 하는 운동길
우산 받고 가긴 싫고
햇빛 나길 기다리나,

내리는 비
멈추기가 너무나
힘든가 보네.

율무야!
비가와도 넌 가보고 싶지?

이슬비 맞으며 산을 오르니
깜깜한 오솔길이

물에 흠뻑 젖어있고,
인적 드문 토요일에
도토리만 뒹굴고 있다.

작년 오늘은 추석이었는데,
윤달 낀 올해 추석 한참 후에
맞는구나.

밤송이 벌어지고
길모퉁이 밤 훔치던
추석 손님마저 없다 보니.
올해에는
밤깨나 줍겠다 싶다.

은여울 산 만보 코스
늦은 오후에 걸으면서
매미 울음 찾았으나,

어떤 소리도 오질 않는다.
적막 속에 땀 흘리며
목적산행을 계속 이어간다.

하늘에서 내리는 비가
나뭇잎에 부딪히는 소리와
함께했더니 옷이 젖어온다.

맑고 쾌청한 날

오랜만에 만나는
깨끗한 하늘,
높디높은 곳에 하얀 구름
맑고 예쁘다.

날마다 쉬다 보니
요일 가는 것도
헤아려야 찾는다.

미사를 본다는 분
TV 채널 앞에 앉는다 해서
일요일을 기억한다

코로나 방역 차원에서
성당에 갈 수 없고,
비대면 미사를 본지가
꽤 된 거 같다.

이렇게도 맑은데
새와 매미는 어디로
떠났는지?
조용함이 어색하다.

도토리 따는 이웃

미호천 강변
자욱이 물안개가 퍼진다.

이슬이 안개되어 포근한
오늘을 예고한다.

완연한 가을인 듯
여기저기 가을꽃이 만발하고
벼 이삭이 고개 숙여
주인 전에 식량 제공하는
요즘인 거 같다.

미호천 변 메타세쿼이아
쭉쭉 뻗어 개운함을 주는 곳,
은여울 산 오르는
잣나무 수목원이 시작되는
지점이다.

가파르게 오르는 길
뻐근함을 이겨내느라
땀을 시작하는 나인데,
율무 녀석은 어느샌가
올라서고 안보인다.

네발로 움직이는 동물
확실히 빠른가 보다.

걷는 모습은 뒤뚱대는데
뛰는 모습은 비호처럼 날쌔다.

새벽에 오솔길 봉지 들고
내려서는 여인이 있다.

도토리를 한 움큼 담았는지
비닐봉지가 출렁인다.

오솔길에 눈 여겨둔
내 몫 도토리 훔쳐간 듯싶다.

도토리묵에 빠진 이웃이
이때쯤 항상 수집하는
여인네 모습이니,
나처럼 산행하며 이삭 줍는
나그네와는
줍는 감각이 다르리라.

얼마나 움츠렸는지

미호천이 둘레에 있어
내가 사는 집까지
아침 안개가 자욱하다.

안개 낀 날은 맑은 날이지만
온통 이슬 맺힌 주변이
차갑게 느껴지는 요즈음,

산소에서 벌초하는지
예초기 도는 소리가
요란스럽다.

추석 명절에 고향 가는 거
친척들 찾아드는 것
자제하라는 방역본부의
당부도 있고,

벌초하는 것 또한
현지의 서비스센터를
이용하라니,

요즘 세상이 코로나 때문에
얼마나 움츠렸는지 짐작이 간다.

해맞이 모습도 물안개
속에서 볼 수 없는 오늘,
율무가 가자 하니
은여울 산으로 오른다.

땀에 젖은 등이
상당히 힘든 내 모습을
알려온다.

체력이 갈수록 허해지는
나잇살을 느끼며,
쉼 없이 해야 하는 은여울
오솔길 산행 즐거운 맘으로 강행한다.

2시간이 지났구나.
도토리가 제법 모였다.

구지뽕 열매

머지않은 장래에
어디론가 갈 거 같은
아랫마을 내 삶터에,

꽃이 요란하고
김장준비할 배추가
힘차게 자리 잡고 올라선다.

성인병에 좋다는
구지뽕나무,
몇 년 전에 앞마당 언덕에
몇 그루 심어준 그분

뽕잎 오디 몸에 좋다더니
오디가 아닌 구지뽕 열매가,
왕성하게 열린다.

까치며 예쁜 새들이
익은 열매를 줄을 서서 훔쳐가니

틈나는 대로 훑어다가,
쨈도 만들고
열매째 입에 넣고 오물오물

입속으로 스며든 즙,
달기도 하고 그 맛이 달콤하고
너무 좋다.

따면서 손에 묻은 액체,
찐득거리는 하얀 즙이
바로 혈당을 조절하는
좋은 약이런가

금전초가 바닥을 깐 곳
해충이 멀리 가니
유기농 풀밭에서

복분자, 블루베리, 초크베리,
구지뽕이
힘든 내 몸에 좋은
먹거리로 자리한다.

비가 계속 내린다

오송, 오창,
누렇게 변한 넓은 벌판
차로 이동하며
실컷 보고 왔다.

트랙터로 논 갈고
이앙기가 줄 세워놓은
초록색 벼 모종이
엊그제의 일인 듯 가까이 와닿는데,

벼 이삭이 고개 숙인
누런 들판이 내 눈에 다가서니
지나간 세월이 어언
봄에서 가을로 넘어섰다.

세월은 끊기지 않고
그냥 지나치는데,
코로난지 경제난국인지,
모든 사람
애달프고 맘졸이게 한다.

추석 명절 나들이는
영상통화로 대신하라는

현수막이 떠 있고,

벌초며 산소에 조상 찾는
예쁜 우리 모습도
자제하라 야단법석이니,
걱정이 많이 된다.

핑계 대고 게으를 거냐?
내 생각대로 그냥
고향에 누워계신
부모님께 갈 것이냐?

살아서 못다 한 나,
고향에 계신 그분들께
그냥 다녀오리다.

들판 달리며 세종을 다녀오며
독감 접종 건강체크,
할 것 다 한 오늘이다.

오늘 산행은
멈춰 서며 쉬는 거다.
비가 계속 내린다.

짊어진 배낭

도토리 떨어지는 곳,
오솔길 낙엽 쌓인 곳,
멧돼지가 엄청 후벼둔
자국이 어지럽다.

부슬부슬 비 내리는 날
멧돼지가 먹이 찾아
헤매는 시간이다.

동트면 어디론가 숨어드는 산짐승들
사는 곳이 산속이다 보니
대충 짐작이 가는 부분이다.

땀 흘리면서도 눈에 띈
오솔길 도토리는
호주머니로 모아서
짊어진 배낭으로 옮긴다.

밤송이 벌어진 줄
모르고 있었는데,
어제는 알밤도 주었다고
집에 있는 분이 자랑한다.

산모기

가을이 깊숙이 들어선 듯,
밤나무 알밤이 떨어져
내리기 시작하고.

찬 이슬 밟으며
아침 일찍 밤 줍는 아낙,
즐거움에 싱글벙글
오늘도 많이 주었다고
자랑이 아름답다.

땀을 흠뻑 흘리며
주저앉아 쉬면서 오늘을 찾는다.

하루하루가
지나가는 세월 속에 스며들며
너무나 속도 내며 지나간다.

9월을 들먹였는데
어느새 10월이 눈앞이다.

땀 흘리니 까만 산모기가
득실거리며 달려든다.

부러워하는 친구

산자락이 어둡다.
햇빛 들까 검은 테 선글라스
눈에 낀 걸 깜박하고
주변이 어둡다 느끼니.

깜박거리는
현재의 나를 스스로
바라본다.

도토리 줍고 밤 줍고
구지뽕 따고 가을걷이
가능한걸 보인대로 모아댄다.

그냥 되는대로 살게 되는
시골살이 내 모습이

건강생활의 표본이라고
부러워하는 친구가 있다.

코로나에 갇히다 보니
여행도 나들이도
제한하며 살고들 있다.

사람 없는 한적한 곳,
매일매일 산바람 쏘이는
내 모습이 좋아 보일 듯?

의식주가 목표였던
어려운 그 시절엔,
라디오 연속극에 귀 기울여
시간을 즐거워하던
슬기롭던 때도 있었다.

풍족함이 넘치고
하고 싶은 걸 모두 누릴 수 있는
좋은 세상에 요즈음,

욕심만 비우면 모든 건
만족이다.
품고 있는 못된 욕심
생각에서 지워버린다.
텅 빈 내 생각을 만들고 싶다.

흐린 날씨 속에 시작된
오늘 산행,
거의 3시간 걷다 보니
햇빛 요란한 맑은
가을 날씨로 변한다.

걷기보다는 엎드려 운동

해는 떴고
둥근 모습의 해는 맞는데,
보름에 떠 있는 달 모습이다.

햇살이 없으니.
아침에 물안개가
미호천 변을 온통 뿌옇게
재 뿌린 거 같다.

수목원 올라서는 길
물안개가 몇 미터 앞까지
길목을 덮고 있다.

아침 일찍 올라서며
오솔길에 쏟아져 있는
도토리 줍기에 바쁘다.

어제 엄청 쏟아지던
급한 소나기에
얻어맞고 굴러떨어진 듯
물 흐른 자국 나무뿌리
계단 만든 곳에,

손가락마다 크기의
상수리가 보인다.

오르는 길에 주섬주섬
걷기보단 엎드려 운동이
많은 날이다.

중턱쯤 올라서니
어제와 마찬가지로 풀 깎는
예초기 소리가 명절 주변
조상님 돌보는 아름다움으로
와닿는다.

고향,
내가 세상을 만난 곳,
그곳 가족 묘원에
함께 모셔진 어머니 아버지
윗대 모든 분께 인사차 가야 한다.

평일 한가한 시간에
여행가는 편한 마음으로
인사드리고 하소연한다.
내일 새벽에.~~

어제는 동생네 오늘은 내가

오전 6시 30분
오후 6시 30분까지
사는 곳에서 조상님 계신 곳
차로 이동한 시간이다.

너무 먼 거리가 고향이다 보니
한 번씩 움직이려면
단단히 각오해야만 가능하다.

가며 오며 살피다 보니
옴천 토하젓도 보이고
칠량 바지락 비빔밥도 섭취하게 된다.

내가 있고
우리 가정이 있게 됨은
당연히 조상님 덕이다.

물려받은 재물이 없었다고
청빈했던 조상님을
탓해본들 뭐할 건가?

명절차례를 계시는 곳
방문으로 정했으니,

어제는 동생네
오늘은 내가 다녀왔다.

꽃으로 단장을 하니
산뜻해 보여 너무 좋다.
그동안 햇빛에 장마에
태풍에

묘역 앞 화병 모습이
퇴색되어
아주 부끄럽다.

코로나 역병에
시골 사람들도 집 밖을 나서면
마스크를 끼고 있으니,

외지인은
스스로가 조심할 수밖에
별도리가 없는 오늘,

방 문턱도 넘지 않고
아침에 신고 떠난 운동화
집에 와서 벗는다.

어젯밤 빗줄기에 씻겨

고속도로변
국도변 지방 도로변
예초기 들고 풀 깎는 인부가 넘쳐나고 있다.

추석맞이는
날품 파는 그분들에겐 제법 흐뭇하겠지만,

단순 일용근로자만 사는 것처럼 보이는
요즈음의 세상을 보면서,

예산을 풀어내는 그런 일자리가
일터로 보이는지?
그 일을 해내는 사람도
취업자 수로 집계되는지 알아보고 싶다.

어제 고속도로를 움직이며
도로변에 몰려있는
풀 깎는 인파들을 바라보며 조용히 생각해본다.

생산적 사회 분위기를 희망해본다.
앞으로 어떤 세상이 전개될는지?
영세 상공인의 문 닫는 소리만 요란스러운 거 같으니.

멀리 보이는 푸른 하늘

미호천 상류
내가 걷는 은여울 산 입구에
백로가 난다.

먹이 찾아 무리 중에서
떨어진 듯
한 마리가 물속을 살피다가
발걸음 소리에 놀란 듯,
물 위로 조용히 떠 오른다.

파란 물 위에 하얀색
백로(白鷺) 모습
너무나 아름답다.

단체로 다니는데.
너도
코로나 방역차 혼자서
다니는구나.
종종 나타나서
이쁜 모습 보여주거라.

메타세쿼이아 솟아오른
가지 사이로

아침 햇살이 유난스럽게
쪼아온다.

멀리 보이는 푸른 하늘이
가을다운 맑은 모습이다.

어느샌가 사라진
매미 울음소리를
머릿속으로만 생각한다.

오늘도 주변에선
벌초하는 서비스맨들
예초기로 풀 깎는 소리만
매미 울음을 대체한다.

채송화 코스모스
가을답게 요란하고
들녘에 누런 이삭 수확 시기
다 된 요즈음,

밤 줍는 아낙네는
작은 밤에 맘 쏟으며
비탈 산에 장화 신고
아주 많이 헤맨다.

가을꽃들은 여기저기

해맞이 아침 하늘
집 앞 산봉우리에
새털구름이 하늘 높이 잔잔하다.

추분이 지나선지 하늘이 높이 떠 보이고
떠다니던 이슬방울마저
거의 보이지 않는다.

물안개 없는 말끔한 모습이다.

계절은 쉼 없이 가고 있고
코스모스 채송화 이름 모를
가을꽃들은 여기저기 내 눈에 박힌다.

줄 타고 오르는 박넝쿨 속에
바가지 만들 박속이
입맛도 다시게 한다

반소매 차림이
어색한 계절이니,
인기척이 있건 없건
단속된 옷차림으로
내 몸을 보호하리다.

너무나도 잘 자란다

산 위로 느지막이 땀 흘리며 걷는다.
한가한 척하면서도 이따금 바삐 바삐 움직인다.

아침 일찍 차를 몰아 세종엘 다녀오니,
산행길이 늦어진다.

언제부터 트롯트가락에 내가 빠졌는지?
어젯밤 늦게까지
보이스트롯에 귀 세우느라,
넋을 빼고 잠을 설쳤다.

감정에 빠져드는 그래서 눈물 흘리는,
진천의 초등생 김다현양 결승까지 도착하고,
준우승까지 차지한다.

세상이 어지럽고 민심이 흉흉한 요즈음
맘들 곳 없는 너와 나, 우리,
모두는 대중가요 트로트에 붐을 조성하고 만다.

채솟값이 하늘을 친다는데
밭 자락에 심어둔 무 배추는 주인 맘을 아는지,
너무나도 잘 자란다.

가을다운 날씨

제법
가을다운 날씨다.
방에서도 이따금
온기가 그립고,

에어컨 용도는 폐기되고
온풍기를 그리워하는
차가움이 몸에 온다.

생활 한복으로
몸을 둘러메고 밤공기를
버티는 요즈음
추석을 넘기면
올해 세월도 다된 거 같다.

겨우살이를 하려면
눈 내리기 전에
이것저것 살펴서
채워주고 담아두고.

자연인의 삶에도
규정이 존재한다.
지키지 않으면 애로가 있을 수 있다.

파란 하늘 저 멀리 보니
구름 한 점 보이지 않는
맑은 오늘이다.

산기슭 쉼터에 앉아
소나무 가지 사이 파란 하늘에
내 맘 얹어놓고,
가쁜 숨 몰아쉬며 열봉을
향해서 힘차게 걷는다.

등 뒤 바위에서 함께 쉬던
율무!
그만 쉬고 율무야 가자!
행동 같이하는,
영리한 녀석이다.

줍고 또 줍고
엎드려서 도토리 찾고
오솔길 따르면서
길 위만 살피더라도
제법 줍는다.

부부 스님

해맞이 모습이 찬란하다.

집 건너 산봉우리에,
엄청난 빛을 쏘아대며 날을 밝힌다.

미호천 상류 흐르는 강물 위엔
물안개가 아지랑이 지으며
모락모락 올라온다.

산비탈에 햇빛도
거미줄처럼 빛을 쏘며
오늘 날씨
맑고 개운함을 알린다.

추석 명절 기다리지도 않는데
이틀 후면 연휴다.

어제는 오늘의 추억이요,
오늘은 내일의 역사이니,
하루하루를 챙기면서 살아간다.

벌어진 밤송이가
알맹이 쏟아내기도

거의 마무리되었고,

산비탈 도토리도
거의 마감 수준인 듯,
눈에 띄는 숫자가
많이 줄었다.

땀 흘리며 걷는 길에
스님 두 분이
운동하며 내려선다.

까까머리 남녀분이니
부부 스님 같아 보인다.

운동 삼아 걷는다는데,
춘추가 많아 보이신다.

스님은 정신수양만
하는 줄 알았는데,
세상사는 모습은 우리와
크게 다르지 않은가보다.

운동하는 모습이
신기해 보인다.

우울증

난 그 증세를 알지 못한다.

주변에 친구가,
아니 젊은 연예인이
우울증에 생을 마감한
느닷없는 뉴스를 종종 본다.

현재의 나에게
스스로 만족한다면
우울한 그 증세는 있을 수가
없을 것도 같은데

현재의 내 모습에
만족한 세상 사람이 있을 수는
없을 것이다.

자연 속에서 나를 묻어가며
하늘 바람 햇빛 빗방울
이슬에 내 맘을 빗대며
가을꽃에 가을 마음을 파묻어본다.

그냥 현재의 나에게
나를 만족시켜본다.

도토리 줍는 아낙

한로가 가깝더니
강가의 구석구석 안개가 자욱하다.

엄청난 물안개
운전을 어렵게 할 정도니
도대체 날씨를 가름하기 힘든 요즘이다.

공기 중에 찬 기운이
흐르는 물 위로 지나가며
이슬로 맺히나 보다.

안갯속에서 뿌옇게 보이는
태양은 보름달처럼
눈으로도 형체가 보인다.

땀 흘리고 올라서는 은여울 산 오솔길
비탈진 곳에 보따리 둘러메고
도토리 줍는 아낙이 눈에 띈다.

율무가 짖어대며
우리 아빠 도토린데
줍지 말라 컹컹대는 듯.

한가위만 같아라

춥고 배고프던 시절,
오곡백과 익어가는
음력 8월 보름 한가위에

땅에서 거둬놓은
사과 배 대추 감 포도 등
온갖 과일을 모아놓고

갓 빻아온 햅쌀로,
모락모락 김 올라오는
흰쌀밥 수북이 담아놓고
바라보며 중얼거렸던 선조들 말씀이다.

배고픔을 이겨내려
온갖 잡스러운 일을 해가면서
살아온 우리 조상들,
얼마나 힘든 시절을 이겨 왔던가 싶다.

까마득한 그 시절이 언제였더냐고?
풍족한 먹거리에
살쪘다고 가려먹는 요즈음,

풍족한 실생활에

우린 조상님께 늘 고마워해야 한다.

지게 지고 꼴 베면서
나무 팔아 끼니 때우던
시골에서의 그런 생활은
나라 어디에도 존재하지 않은 것 같다.

산골에서 자연인 생활에
온몸을 불사르는
특수한 그 사람들만 지게 지고 움직인다.

집 앞으로 움직이는 고향 찾는 차량이
도로를 채우며
은여울 산 오솔길에도,

귀향했는지.
낯선 부부가 반려견과 오르고 있다.

가족끼리 정다운 시간,
먹거리 놓고 분위기 잡는
추석이어야 명절인데.

코로나 방역에
나라님들이 당부하니,
조용조용 쉬어야.

Part 2

코로나 19에도

수확은

여전합니다

들녘을 두루두루

물가에 논두렁도 들러보고
길가에 대추 열린 곳도
살펴보고 다녀온다.

누런 벼 이삭이
콤바인 들어오기만 기다리듯
고개 숙이고 서 있고,

밭둑에 깊게 심어둔
들깨가 꽃을 피우며
고소한 깨알을 맺어가느라,
피어있는 코스모스 꽃 자락 사이에서
몸살을 앓는다.

강가에 너풀대는 갈대,
내 키를 넘어서며
낚싯대 물에 담근
쉬는 날의 낚시족까지
한가함을 보여준다.

고기 잡는 모습이 아닌
세월 낚는 어설픔으로
명절 분위기를 잡치는

남정네들 그림이다.

어제 오후 돌아본 논농사
작황을 자세히 살폈더니
대부분의 벼가 시커멓게
변해 있으니?

장마통에 도열병이
전국을 강타했다더니…
수확 후에 식량부족으로
걱정해야 할 듯도 하다.

떠오르는
둥근 달도 맑은 날씨로
눈에 띄는 한가위 밤에
불꽃놀이 등
시골스러운 모습도
손자들이 보여주니

땅 밟고 사는 농촌의
정겨움을 눈으로
바라보며
나 혼자 슬그머니 웃곤 했다.

추석(秋夕)

도토리 쏟아지는,
우두둑
소리에 내가 멈춘다.

참나무 아래 여기저기
손마디 크기의 상수리가,
입맛 다시게 한다.

아무도 없는 추석 명절의
은여울 산은 율무와
나만의 아름다운 공간이다.

어제로 9월이 마감되어
10월이 시작되는 첫날이
추석이고 오늘이다.
올해 세월도 다되어간다.

노랫가락에 흥얼대며,
혀짧은 여자의 애교스러운
논평에 귀를 간지럽히며
만보 코스를 완주한다.

코스모스

높고 푸른 가을 하늘
둥둥 떠다니는 하얀 구름
한들한들 흔들리는,
코스모스가 바람을 즐긴다.

들판에서 하늘하늘
두 손 들고 흔들리는 허수아비
참새 쫓는 네 모습이,
욕심꾸러기 놀부와 많이도
닮았구나.

펑펑 쏘아대는 공포탄,
흑미 농사로 재미 보는
내 고장 명물 쌀 지킴이로
길 가던 사람들도 놀라게 된다.

참새떼가 날아올라
까만점으로,
하늘까지 물들인다.

행복한 연휴라!!
과연 추석 연휴가 행복한 건가?

외로운 모습

가을비.
한로(寒露)에 가까운 시기에
찬 기운이 감도는 이슬비가
밤 동안 내렸는지
배추밭, 무밭이 촉촉하다.

날 밝은 후,
올 듯 말듯 비 모양이
산에를 갈까 말까 망설인다.

가늘게 풀밭을 헤매는
노란색 가을꽃이
이름도 모르지만,

엄청 많은 코스모스의
꽃 군중보다 맘에 온다.

외로운 모습이
시골 사는 어느 노인이나
아주 비슷하구나.

나훈아

어둑어둑한 산속 오솔길에
도토리 줍는 영감이
나보다 먼저 지나갔다.

어디 먼 곳에서 원정 나온
낯익지 않은 그런 얼굴,
인근 청주에서
목표를 도토리로 연휴 기간
마무리를 나선듯하다.

서둘러 은여울 산을
오르기 시작했어야 한다.
게으름 피우다 양질의
상수리를 놓치고 만다.

어젯밤 나훈아가 이름 내건
"대한민국 어게인"
자정을 넘기고 보느라,

테스형!!
외치며 묻고 묻는 얄궂은 나훈아를 보면서,
늦잠까지 자고 말았다.

소크라테스 영혼을,
아니 역사에 나타난
유명한 철학자와 친구 대하듯
똑똑한 체하는 그 모습에
헛웃음만 지을 수는 없었다.

현재 오늘 내일
시간 따라 쉼 없이 지나가는
세월을 따져보며 인생, 사랑,
실컷 누리며 사는 아름답게 사는 멋진 인간,
나훈아로 각인된다.

작사 작곡 노래를 몽땅 자기 이름으로만
쏟아낸 가수로,
진짜 멋있는 우리 시대의 영웅인 듯 보인다.

8개월을 제작했다는 프로그램,
추석 연휴 마지막을
나훈아로 모은 듯한 곳에서,
국민이 주인이라는
외침까지 여유롭게 해댄다.

어느 정치인도
저런 힘을 누리지는
못할듯하다.

굴러떨어져

가을은 수확의 계절
소신껏 알아서 자란 돌배며
농약과는 무관한 고구마
땅바닥에 떨어진 밤

공들이며 키워낸 메주콩
콩잎이 노랗게 낙엽 지니,
콩 수확 후 메주 삶는
겨우살이가 시작되는
계절에 다가선다.

고구마 넝쿨걷이가 고구마 캐는 과정에선,
너무나 힘든 노동이다.

낫으로 줄기를 끊고
끌어당겨 모아서 언덕으로 굴리는 중,
내 몸이 굴러떨어져
눈앞이 깜깜한 순간을 봤다.

젊은 시절엔
그 정도는 노동도 되지 않던 시골살이 기본인데
나잇살이 나를 둔하게 한다.

아침 운동

아주 답답하여
가벼운 옷차림에 슬리퍼 끌고
도로변을 살피며
아침 운동을 해본다.

눈에 보이는 여기저기,
꽃 해돋이 맑은 하늘
하늘을 우러러보는 모과 열매,

땅바닥에 굴러내린
익은 은행알이 씨를 내리느라
발버둥 대는 가을이다.

찰칵찰칵 자연을 담아보는
시골의 모습에서
자연이 주는 개운함을
스스로 느껴보려 버둥거린다.

넘어져서 쉬어보고
아파서 둘러보니,
내가 아껴야만 존재한다.

네 인생이 행복(幸福)

은여울 산 목표지점
나무에 등 기대고
따뜻한 햇볕 쏘며
크게 한번 숨 쉬노라.

헐떡인 후 쾌감이
입 밖으로 새어나면
가슴속 깊은 곳에 맑음이
채워진다.

내 곁을 지켜주며
동무하며 행동하는 너.
율무 네가 귀엽고 고맙다.

게으름 피울라치면
후벼대며 재촉하고
산 입구에 도착하면
먼저 뛰며 좋아하니,

세상 걱정 아예 없는
네 인생이 행복이구나.

세상 사는 이치

앞서거니 뒤서거니
율무와 산행한다.
가는 길에 참나무를 붙들고
나무 위로 뜀박질한다.

멈춰 서서 살피니
앞서가던 율무에 쫓기던 고양이가
나무 위로 솟은 듯하다.

어떻게 저걸 잡을꼬?
참나무를 쳐다보는 네 모습,
방법이 없겠다.

오든지 오지 않든지
네 뜻대로 하려무나.
불러서 오랬더니,
포기하고 나를 따른다.

안되는 나무타기는
포기할 줄 아는 네 모습,
율무야 그렇게 포기하는 거다.

호박고구마

아침이 시작되면
동녘 하늘을 보면서
산등성이 해 솟음을 응시한다.

하루의 일정을 상상하며,
아침 산책에
이슬 젖은 발등을 나무라며
산속에서의 귀촌 생활이

자연인의 삶에
가까운지를 느껴보려 노력한다.

산에 오르는 주변 언덕
원 없이 뻗고 있는
질기고 또 질긴,
칡넝쿨과 찔레꽃 가시덤불,

저걸 어떻게 잡을 건가?
초장에 제거했더라면
잡혔을 건데
게으름이 문제였다.

고구마와 군밤에

맛 들인 요즈음은
가을 맛을 실컷 느껴간다.

도토리 수확한걸
씻어서 우리고 말렸으니
방앗간 신세만 지면,
묵밥도 먹을 거다.

해남 봉팔이네 호박고구마,
옆집 형이 수확해서
틈만 나면 구워 먹는다.

고소하고 몸에 좋다니
식용으로 대체,
은여울 중턱에서도
율무와 나눠 먹는다.

맛을 알고 쳐다보는
율무!
네 눈을 보며 나만
먹을 수는 없다.

아니 나보다 더 먹는다.

떨어진 참나무잎

일렁이는 미호천 강물
내리쬐는 햇볕 받아
물결 따라 반짝인다.

흐르긴 흐르는데
고인 것처럼 한곳에서,
출렁대는 강물이
잔잔한 바닷가 영상이다.

백로는 재주부리며
강 위를 휘저으며 날고,
닐 낚시 드리운 채
모래턱에서 낚시하는
외지인의 한가함이
내 눈 속에 들어온다.

낚시터 주변이
상산 팔경 중 우담제월이니,
차를 세우고 율무와 나는
잣나무 수목원 쿠션 속에,

2산 거쳐
은여울 오솔길로

쉼 없이 걷고 있다.

어느샌가 가을 속으로
세월이 접어든 듯,
떨어진 참나무잎
낙엽 되어 수북하다.

머지않아 단풍잎도
가을빛으로 변하리라.
울긋불긋 단풍 속에
왁자지껄 사람 구경은,
옛날 소식이니라.

그늘 속에서 햇빛 보이는
오솔길 길목이
자꾸만 아른거리는
차가운 기운 속
오늘 날씨다.

내가 쉬면 너도 쉬고
도토리 때문에 엎드리면 너도
어슬렁댄다.
네발을 쭉 뻗고 깊은 잠에
빠졌구나.

꺼트리지

오늘은 세종자치시 성당 4가족이
오랜만에
고운동 꺼트리지 명태조림 집에서 모인다.

입구에서부터 체온체크
기본으로 진행
무서운 세상이지만
먹을 사람들은 끼리끼리 모여든다.

할 것은 다 하고
먹을 것 다 먹으면서
조심조심
흉내만일까 싶다.

약속 시각이 여유가 있어
장군 승마장에서
말 타는 지인을 유심히 살펴보고,

사극에서 말 타는 배우들,
연습은 언제 해서
그렇게도 말을 잘 탈까?

내 주변 승마하니,

나도 시골길을
말 타고 지낼 수가 있겠다 싶다.

은여울 산을
말 타고 오르내리면?
그냥 상상만 해본다.

시골 사람이
사람들 모여 사는 큰 도시
도착하니,

다른 나라 사람들처럼
여기저기가 새롭다.
어리둥절하다.

꺼트리지 명태조림.
꺼트리지가 무청을 소금에
절여둔 거라는데.

엄청 새롭고
입맛을 새롭게 한다.
소금만 있으면
장독에 싱싱한 무청을 쑤셔두면 가능하단다.

꺼트리지를 준비한다.

월요일

흐린 날
이슬비까지 보인다.
산으로 오르자는
율무를 핑계 대고
어제 못한 산행을 시작한다.

열봉에서 나무에 등대고
쉬는 중에
햇살도 보인다.

오솔길 곳곳에 참나무
낙엽이 길목을 거의 덮는다.

월요일 아침이 시작되면
그렇게도 짜증스럽던
직장 시절이 언제였던가 싶지만

일없이 소일하는
은퇴 후에도 월요일은
그냥 싫다.

도토리묵

초근목피에 내 몸 의지하던
옛날 옛적을 생각해보면

그렇게도 살기 힘들었던
조상님들이 눈에 아른거린다.

오락이 없고 즐길 게 없다 보니
밤만 되면.
그래서 없는 살림에 새끼들만 많았으리라.

요즈음
아프리카 오지사람들.

먹을 것 마실 것도 구하기 힘든 어려운 환경 속
헐벗은 모습 속에,

어린아이들만 눈에 띄는
구호단체 광고 모습을 늘 보게 된다.

오늘
없던 시절에
먹거리였던 도토리묵 가루를 확보했다.

유기농 좋아하고
신선한 걸 좋아하는
요즘엔
도토리묵도 선호식품 한 종류다.

은여울 오솔길에서
보인대로 모았더니
허리운동도 해가면서

44kg을 모아서
가루를 만들었다.
올미묵에 빠졌는데
도토리묵에 묵밥에
실컷 입맛 다실 수 있다.

가을꽃 요란한 마당을
살피며
한가한 오후에
혼자 중얼중얼.

사는 곳 주변에
산자락 벌목해둔 곳이
크게 눈에 띄어 아침에
둘러봤다.

영감님

아침 일찍 동네 한 바퀴
돌고 돌아 5천 보를 확보하고
읍내를 돌아오는 길에
농다리로 들어섰다.

부족한 운동량을
율무 없이 혼자서만
채우고 싶어 들어섰으나,

농다리는 길고 긴 장마
후유증에 11월 중순까지
보수공사 한다고,
통행이 제한되었다.

농다리 위쪽으로
징검다리가 농다리 거리만큼
촘촘히 놓여있어,

조심스럽게 징검다리를
건넌다.
물 흐르는 아름다운 소리
동영상으로 담아본다.

징검다리 건너서
산자락 따라
오갑리 쪽으로 개울을 따르니

쉼터로 보이는
정자(亭子)도 나타나고
심은지 5~6년쯤 되어 보이는,

메타세퀘이아 가로수가
천변 길목을
아름다운 산책길로
변화시켜가고 있다.

아직은 뜸한 길이지만
몇 년 후면
농다리 갑판 도로에
버금가는 멋진 곳으로
변하리라.

오갑리 산자락에
이쁜 전원주택,
배추밭에서 일하는
영감님과 세상 얘기를 하다.

온통 잿빛 하늘

어제는 초평 농다리
오늘은 문백 은여울 산,
가는 산 또 간다만
마냥 즐겁다.

나 혼자서 걷는 거보단
율무와 하는 산행이 보람차다.

잔뜩 낀 구름에
하늘은 온통 잿빛이다.
빗방울 떨어지던 아침,

이슬비 정도는 무시하고
산을 찾는다.

숲속의 맑은 공기
심호흡으로 뱃속에 담는다.

바람한점 불지 않고
서 있는 나무가,
어느 것 하나 움직이지
않는 오늘이다.

단풍이 보인다

설악산 오색 골에 활짝 핀
단풍 소식,
방송에서 안내한다.

위쪽에서 내려서는 단풍
정읍 내장산까지는
11월이 넘어서야,
절정을 이루리라.

새벽공기가 너무 차다.

군불이라도 지펴야만
실내에서 체온이 유지된다.

은여울 산에도
길목에 노란색 단풍이
눈에 띈다.

계절이 가을이니
가을답게 여기저기가
변해온다.

누런 벼는 여기저기

수확되고 있고
고구마 캐는 농가도
이따금 눈에 보인다.

밭 자락에 캐진 고구마
줄지어서 눈에 띄니
10kg 상자 속에 옮겨간다.
키를 재가면서다.

상강(霜降)이 주변이니
하얀 서리가 내릴 거고
서리 내린 후,

초록색은 검은색으로
돌변하리라.
콩잎 호박잎은 바로 데쳐지고,

김장용 무·배추는
서리 맞으며 싱싱하게
자라리라.

색깔이 그대로인
김장거리 무·배추
갓이 싱싱하니 이상하다.

조심

어둡던 길목에
햇빛 드리우니 개운함이 몸에 온다.

가을답게 쾌청하면 더더욱 좋으련만
맑을 듯 흐릴 듯 종잡기 힘든 날씨가 이어진다.

은여울 산 땀 흘리며 걷는 나에겐,
이러나저러나 똑같은 산행이지만
오솔길에서 햇빛 보며 그늘을 걷고 싶다.

학교 · 직장의 모임이
일 년을 거의 넘기면서도
코로나 핑계로 넘어가는 어쩔 수 없는
요즘인 거 같다.

축구선수 호나우두
강대국 대통령 트럼프도 피해갈 수 없는 코로나다.

나이든 노인에겐 요양원 집단감염에서처럼,
무심결에 가는 수가 있을 듯도 하다.

조심하고 또 조심하며
하루하루 먹고만 지낸다.

보통사람

산에서 살다가
도시 구경 겸 가을도 느끼려
세종에 다녀온다.

가는 길에 병원 처방도 구하면서
맑고 푸른 하늘 아래
호수공원이 날 부른다.
지나칠 수가 없다.

주말이라서 쉼터의 여기저기
가족들이 모여있고
장애인을 밀면서 나들이,
애견과 함께 산책,

시골 사는 나는
신기한 아름다움에 취해서,
가을꽃 가을 호수 가을 하늘을
도시의 중심에서 실컷 느낀다.

호수를 건너면
바람의 언덕이 나타나고
언덕 주변엔 세종을 창업한
노무현 대통령 추모의 글이 요란스럽다.

보통사람들이 사는 세상
"사람 사는 세상"

좋은 세상을 구상한,
그분의 큰 뜻이 호수공원
바람의 언덕에
자전거 타는 보통사람 모습으로
고상하게 서 있다.

엄청 넓은 세종수목원이
거의 완성단계로 공사 중에 있고,

수목원 너머로 금강이 흐르면서
한국의 명산 계룡산을 지나간다.

가을을 만끽하며
율무 없이 조용히 여러 생각을 해보면서
오늘을 만끽한다.

야생화도 보이고
알 수 없는 열매도 주렁주렁 걸려있고

호수 주변에 멈춰섰더니
물고기가 먹이달라고 줄줄이 늘어선다.

활짝 갠 날씨

물안개가 모락모락
미호천 강변을 꾸며낸다.

아지랑이 올라서는
주변의 강변도로는,
청소차가 물뿌리며 지나간 듯
길바닥에 물 자국이 흥건하다.

새벽 기온이 5도로 내린
제법 쌀쌀한 밤이었다.

활짝 갠 가을 날씨로
하늘빛도 짙게 푸르다.

은여울 오솔길에
나뭇가지 사이로 내리쬐는 강한 빛이,
내 기분을 상쾌하게 안내한다.

흙과 자갈 나무뿌리가
길목을 형성하는 오솔길,
낙엽까지 덮어주니
걷는 기분이 더욱 좋다.

시골 사람의 특권

배산임수(背山臨水)
집터로 좋은 곳을
일컫는 전해오는 말이다.

풍수지리로 좋은 곳이다

집 뒤에 산이 받치고
집 앞으로 물 흐르는 곳을
일컫는데,

물이 흐르는 곳
아침마다 물안개 끼고
집 전체가 안개 속에 갇힌걸
아침마다 눈으로 살피니,
꼭 좋은 곳만은 아닌 것 같다.

앞이 터져서
전망은 좋겠지만
건강에 장애요소로 눈에 들어온다.

아침 산행을 시작할 때마다
안개 속을 걸으며
늘 생각한다.

오늘은 유달리,
자욱하여
강 건너 산등성이가
안개 속으로 감춰진다.

은여울 오솔길
나무와 나무 사이로
물방울 구름이
흐르며 지나간다.

가을의
맑은 하늘이 햇빛 좋은
결실의 계절 날씨로
변해온다.
안개 낀 날일수록 맑음이
보장된다.

집주변 국화 향기(香氣)가
온몸을 상쾌하게
날 반겨준다.

시골 사람만의 특권인가?

안개

연일 계속되는 안개다.

짙음이 더더욱 강해져서
오늘은 해돋이마저 감춘다.

맑은 하늘
푸른 하늘의 가을 날씨를
예보하는 안개다.

아랫집에 들러
서둘러서 율무를 불러낸다.

은여울 산에 이르니,
미호천 상류는 흐르는
물마저 안개 속으로 숨었다.

오솔길을 더듬어
8 꼭짓점의 능선까지
나무와 나무 사이가
잔뜩 낀 안개 속이다.

구름 속을 걷는
신선이 된 느낌의 내 모습이다.

마른 땅에 무 배추까지
안개 속에서 습기를 흡수하길
바랄 뿐이다.

무농약 유기농 쌀로 인증받으며
청년 농부로 활동 중인
시골의 손자가 있다.

땀 흘리며 농사지으며
자리 잡은 멋진 모습이
날 흐뭇하게 해준다.
고향 땅 강진을 지키면서….

농작물 값이 현실화되어
좀 더 여유 있는 시골,
도시인이 부러워하는
농촌이 탄생하길 바라본다.

안개가 계속되는 이른 시간
은여울 오솔길,
땀 흘리며 고요함 속에
걷다가

열봉을 향해가면서,
트로트를 들어가며
고요함을 접는다.

금화규

서해를 다녀온다.
금화규 도수깨나 높은 술
소주병으로 챙겨 들고,
옆집 형님 차로 삼길포항,
푸른 바다 실컷 보고 돌아왔다.

몇달만의 바다 구경
먹고 싶은 놀래미회
당긴 대로 먹어본다.

새마을호 배 바닥에서
파닥거린 놀래미다.

오늘은 씨알이 아주 굵다.
금어기가 임박해서인지,
알도 눈에 보인다.

씹히는 자연산 회
먹어보는 사람만 그 맛을
알 수 있다.

금화규 고량주를 혼자 마시니,
내가 깜박 가버린 모양이다.

노란 단풍

여기저기 단풍든 모습이
눈에 들어온다.

노란색으로 변해가는
은행잎이 가을을 알리고,

감나무에 매달린 감까지
홍시를 예고하며
꼭대기 손닿지 않은 곳에
주렁주렁 달려있다.

봄 서리가 오는 통에
감나무에 열매도 수확이
많지 않다는 애기가 들린다.

단감도 홍시도 곶감도
올해에는 흉년이란다.
은여울 산 오솔길에도
쌍떡잎 넓은 잎사귀에
노란 단풍이 확 보인다.

오후 산행으로 미루려
했으나,

문짝을 긁어대며 보채는
율무가,
날 강제로 산으로 이끈다.

구름이 잔뜩 낀 날,
아침 안개도 아예 없고
흐린 날이다.

힘든 걸음 코피까지 보이니,
휴지로 틀어막고
누구 볼 사람도 없으니
편한 모습으로 걷고 있다.

맑은 숲에 들어서니
산소가 많아선지 기분이 상쾌해진다.

은여울 산 산책길은
나에겐 안성맞춤이다.
너무 좋은 곳이다.

산기슭에 임도가 개설되고
벌목해둔 현장이 보인다.
자연인이 살만한 오두막도 보이고,

꿀벌 키우는 현장도 보이는데,
사람은 없고 빈 벌통만 가득 모여있다.

국화 꽃차

단풍 색감이 날마다 다르다.

짙은 색 옻나무며 은행잎은
절정을 향해서 변해간다.

모과나무 굵직한 열매
무게를 못 이겨
땅바닥에 열매를 굴리기도 한다.

노란색 국화 꽃잎 따서
꽃차로 입맛 다시니,
향기롭고 고소한 맛이 커피에 비교가 안 된다.

어제 보던 단풍과 오늘 보는 단풍 색깔이,
사뭇 다르다.

은여울 오솔길에
상록수 빼고는 요란스레 단풍 모습으로 변해온다.

낙엽 진 잎사귀는
오솔길 길바닥에 쿠션으로
발바닥에 전해온다.

하얀색 서리가

잔뜩 쏟아진 아침이다.

햇살을 보면서 서릿발은
이슬로 변한다만,

서리맞은 식물들이
아예 녹색을 버리고
흑색으로 변하리라.
얼어서 녹아내리리라.

김장용 배추와 무 덩이는
찬 서리 맞으며
깊이 있는 맛으로
영글어 갈 거로 생각한다.

은여울 산 길목에
거의 매일 보이던 물안개,
날씨가 차가워지니
맑은 해만 비치고
안개는 아예 없다.

자연의 변화무쌍함은
자연 속에서 부딪히면 알게 된다.

비, 바람, 공기, 하늘, 나무,
어느 것 하나도
없어서는 불편하다.

낮과 밤도 주기적으로
돌아갈 때
삶의 리듬도 찾을 수가 있다.

짙어가는 소국과 구절초 향
가을을 대표하는
향기 나는 꽃이다.

꽃을 따고 쪄서 말리고
꽃차를 마셔가며
내 뱃속이 가을로 변해가니,

개운한 뒷맛은
가을 공기보다 더더욱 상쾌하다.

위를 쳐다보니
구름 한 점 보이잖는
맑고 푸른 하늘이다.

서리가 보이는 날이니
깨끗할 수밖에 없다.

영하로 내려선 날

해 뜨기 전 최저기온이
영하로 내려선 날,
율무네 식수통에 살얼음 보이니
이젠 겨울 기분이다.

하얀 서리가 풀잎에 맺히고
지붕에 내렸던 서리는
해맞이 시점에 물방울로 둔갑하였는지,
비 오듯 뚝뚝
마당으로 물기를 내린다.

무청이며 배춧잎에도
하얀 서리가 김장용 무·배추를
내 눈 속에 알려온다.

은여울 산 수목원 입구,
미호천 강물 위엔 아지랑이
물안개가 물 따라 흘러간다.

아름다운 물안개 흐름
혼자 보기엔 너무 아쉽다.
율무도 옷을 입었다.

벗고 살다 입고나니
많이 답답한 듯,
발로 비비고 몸을 흔들고
야단법석이다.
며칠은 요동을 칠듯하다.

은여울 산 오솔길엔
햇볕이 내리쬐나,
손가락 마디마디 찬 기운이 넘나들고,

콧잔등에 식은 콧물
차가움을 알려온다.
훌쩍대며 흘린 땀이 내 몸을 지키리다.

날쌘 율무처럼
내 몸도 가볍다면?

희망 사항일 뿐이다.

무겁게 윗몸 일으키며
고통스러운 내 몸뚱이다.

들깨 농사

풀 속에 앉아 들깨를
털다 보면,
고소한 들깨 냄새에
먼지를 둘러쓰면서도 즐겁다.

들깨 농사도 엄청 흉작으로
품값에도 못 미치지만,
생산해서 기름 짜서
내가 먹는 것에 분위기를 준다.

10월도 마지막 주다.
추위에 얼까 봐
뒤뜰에 수도 파이프 칭칭 감아 동여주고,

한겨울 추위를 대비하다 보니
올해 세월도,
코로나 코로나하면서
무사히 지나갈 거 같다.

고혈압 당뇨를 기저질환으로
사는 노인네들은
면역력이 약해서,
병 없는 보통사람들보다

2.5배의 사망률이란다.

오랜 기간 병과 싸우며
목표지점을 훨씬 넘기는
나로선,

시골살이하며 걷고
움직이는 만큼의
대가라고 생각된다.

산길을 평지처럼
허리 펴고 걷는 내가,
신기하다 느끼면서
오늘도 율무와 힘차게
걷는다.

맑고 깨끗한 가을날이다.
어제 내린 된서리
오늘은 어제보다 더 많이
된서리를 본다.

녹색식물은 대부분
서리맞아 데쳐졌다.
꽃잎이며 열매들도
서리맞아 볼품이 없어진다.

지구 온난화

자연의 생태변화가
인류의 삶에 어떤 변화를 가져오는지?

지구과학자가 티브이 화면에
깜짝깜짝 놀라운 사실을 적시하며.
자연 속에서의 우리 삶을
권장하는 듯 묘한 느낌을 전해준다.

지구 온도가 만 년 동안 4도가 올랐는데
최근 100년 동안엔 1도가 상승하여

지구 온난화가 25배로 가속화된다며,
앞으로 1도의 상승이 더 이뤄진다면,
인류의 대부분은 살 수가 없다니?

시골 농어촌 산속을 찾는
대이동이 예측됨을
우린 짐작해야 하는 건 아닐는지?

어제는 삼성 이건희 회장이
세상과 이별 하셨다.
다국적 대기업 삼성을
일구시고 나라의 국력을

세계수준으로 이끌어준
대단한 분이셨는데?
아주 아쉽다.

남기신 재산의 70%를
국가에 상속세로 내신다니…?

10조가 훨씬 넘는 세금
어느 누가 상상이나 가능하겠는가?

아무리 재산이 많고 누리는 것이 많다 해도,
무너진 건강 앞엔 무용지물임을
크게 한번 느끼면서

난 나름대로 생활원칙을 세우고
율무와 걷고 있다.

하늘은 높고 푸르고
여기저기 단풍색은 어제와 또 다르고,

미호천 강변엔 물안개가 물과 함께,
아지랑이 낮게 드리우며 어디론가 흘러간다.
은퇴 후의 한적한 삶 스스로 만족하자.
욕심내면 뭐하겠냐?

평일에 낚시하는 심정

물안개 자욱한 미호천
강변의 모래턱에
턱 고이고 낚시하는 나그네,

어젯밤에 자리 잡은 듯 낚싯줄 늘이고선,
물속을 응시한다.

차를 대는 주차공간은
낚시 나그네가 자기네
공간으로 자리 잡아버렸다.
매일 내가 차 세우는 곳인데….

평일에 낚시하는 심정,
사연이 있을 것이다.
건강 관리하던지….
세상살이가 맘대로 안 돌아가던지….

즐거움을 함께하러
낙엽 쌓인 오솔길을 걷는다.

단풍색이 하루 다르게 짙어가고
길바닥에 낙엽두께가 매일 달라진다.

포근한 가을 날씨로 국화가 만발하고
은행잎의 노란 색감이 한없이 맑아 보인다.

산비탈에 옻나무,
붉은 단풍을 드리우니
아름다움이 절정을 이룬다.

산등성이 자리 좋은 곳,
굴착기가 길을 내고
저승길에 가는 집을 짓고 있다.

고향 떠나 외지에서 살다가
고향으로 돌아오는지…
한 줌의 흙으로 돌아가는 길,

한국 최고의 갑부와
보통사람들의 가는 길을
비교하며 살펴본다.

가는 길에 소유란 없다.
너나없이 똑같다.
몸뚱이만 가게 된다.
맘 비우고 사는 길이 말로는 쉽다만….

실천이 문제로다.

포근함이 늦여름 기분이다

뿌연 구름 속에 해가 떠오니
달 모습 같기도 하다.

찬 기운이 전혀 없이
미호천 상류에 이르니
어제 낚시꾼이 훔치던 물고기,
백로가 노리고 있다.

미호천에 물고기는 분명히 움직이는 듯,
백로가 증명한다.

은여울 산에 오르니
내 눈을 어디에 둘지 어리둥절하다.

하늘로 치솟은 참나무며
땅바닥 가까이 있는 온갖 낙엽수가 노랗게 빨갛게
짙은 가을 색을 보인다.

무서리 내린 지 보름,
된서리 내린 지 며칠 사이
된서리맞은 나뭇잎은 칠순 넘은 인간이나
같은 목숨이구나.

사그락사그락

오솔길 걸어가는 발바닥에
낙엽 밟히는 가을 소리다.

소리의 진동만큼 낙엽두께도 쌓여가고,
눈높이를 바라보니
참나무는 모두 단풍들어 온통 누렇다.

나이 들어 어떻게 살 것인가?
자식들로부터 부양받기를 포기한
"부포족"이라 불리는,
인간 집단들의 노후 삶을 방송에서 떠든다.

언제부터 어떻게 준비하느냐?
국민연금, 퇴직연금, 개인연금으로
노인 삶을 단단히 해야 한다면서,

각자 떠들고 있다만,
연금으로 사는 생활
그저 그런 최저인생을
그려보는 수단이라 느낀다.

과감한 자기계획으로 비용을 줄이며 즐기는
제2의 인생은 스스로가 개척해야만 가능할 것이다.

날마다 보는 은여울 산
매일 보는데도,
사뭇 느낌이 다르다.

서 있는 나무도 다르고 걷는 길목도 다르고
마시는 공기도 다르다.

자연이 저런데
하물며 인간인 너는 얼마나 다르겠냐?

티브이 화면에 노인들
인간극장 할아버지가 내 또래 나이인 걸 보면서,
내 모습도 저렇겠구나,.
나도 저렇게 늙었겠구나,
혼자서 중얼거려보면서도,

늙어가는 나를 못 느끼며
그래서 젊은 줄 아는 나를
채찍으로 나무라본다.

넌
노인으로 많이 변했다.
조심해서 살피거라.

양재천

서울 양재천에서 강남과 서초를 넘나들며
꽃구경해가며 갈대밭을 걷는다.

가을이 익을 대로 익어선지
천변 둑길에도 단풍이 잔뜩 꽂혀있어.
둑길을 걷는 모습 또한
나무숲을 헤치는 모습이다.

양재천 맑은 물에
손목 크기의 잉어가 넘실대며 움직인다.

반려견과 함께하는 사람,
자전거를 타는 사람,
맨발로 흙길을 걷는 사람,
오손도손 속삭이는 애인인듯한 남녀 등,

많고 많은 사람이 콧잔등에 마스크 쓰고
몸 관리에 열중이다.

거의 일여 년 만에 친구들끼리 모여드니
얼굴만 바라봐도 즐거움이 넘쳐난다.
같이해준 친구들아 너무나 고맙다.

서울이 주는 맛

도시에서 하루 보내다, 시골 오니….
도착하니 분위기가 너무도 다르다.

고소한 냄새가 코끝에 다다르니
들깨 털고 쌓아둔 들깨껍질이 주변에 있다.

탁한 냄새 답답한 도로
엄청난 차량 매연….
어느 것 하나 내 몸에 이로움이 없는 것뿐,
서울이 주는 맛이다.

터무니없는 아파트값
인간들이 집단 이기심으로 고의로 올려둔 것.

올려진 아파트값에
이것저것 뽑아가는 조세 당국,
살림에 도움 되는 소득은 아예 없는데…
답답하기만 하다.

살기 좋은 나라로
언제쯤 될까 싶다.
서울 가서 하루 쉬니,
두 번 다시…. 생각도 하기 싫다.

서울 벗어난 지 20년이다.

10월 마지막 날
내일이면 11월 첫날이다.

미호천 상류가
양재천 분위기로 눈 아래 보인다.
징검다리가
아예 없는 맑디맑은 샛강이다.

고기가 움직이는지…
백로가 4마리
오리 한 마리가 움직인다.

맑은 하늘 깨끗한 공기
너무 좋은 오늘이다.

비탈진 수목원 길 낑낑대고 올라서고,
은여울 오솔길로 싸묵싸묵 걷다 보니
양재천 평지보다는,
걷는 맛이 사뭇 다르다.

등에 땀도 나고
여기저기,
아름다운 단풍잎이 짙은 색도 뿜어준다.

Part 3

코로나 19에도

기쁨은

계속됩니다

가을이 깊어간다

초록색이 노랗게 변색하며
단풍들어 가더니,

샛노란 황금색으로 앞마당을 장식한다.
은행나무의 아름다움이 절정을 이룬다.

잔바람만 불어도 땅 위로 뒹굴며
겨우살이를 준비하는 듯,

앙상한 가지에 매달리는 은행 알맹이,
수확할 때가 될 거 같다.

가파른 산비탈엔 이름 모르는 가을 단풍이,
내 눈을 즐겁게 한다.

국화꽃이 피어나는 계단 위의 화분,
향기를 내뿜으며
심어준 정성에 보답하는 모습이로다.

가을비 살며시 내리니
가뭄에 허덕이던 무 배추, 힘 받으며 솟아올라
농사꾼 이맛살을 활짝 펴줄 거 같다.

물안개 잔뜩 낀 아침

어제 내린 빗물이
배춧속이며 무뿌리에도
촉촉함을 이어주니,
얼마나 흡족해할까?

미호천 강변에
메타세쿼이아 숲길도,
물안개 속에 우뚝 솟은
가로수길로 내 눈을 치뜨게 한다.

비 오는 날 하루건너
쉬고 나서 움직이니,
가는 길 은여울 오솔길
물에 젖은 낙엽이,
걷는 소리도 없애준다.

물젖은 단풍이
쏟아진 후의 나뭇가지는,
앙상한 모습으로
늦가을을 알려온다.

코로나 시대는
철학자 노자의 무위(無爲) 사상을 거역한

인간 문화가 초래한 거란다.

자연에 순응하며
모든 것을 놓아버리면
즉 비운다면,
이런 재앙은 있을 수도 없단다.

욕심부리고 즐기고
누리고 흥청거리다 보니
자연이 노(怒)한 거란다.

여행한답시고 전 세계를
이웃집 다니듯 해댔으니
노할 만도 하단다.

테스형!
나훈아 신곡이다.
세상이 왜 이래?
뿜어대는 뉘앙스가
힘든 요즘을 빗대어서
국회에서도 야당 팻말로도 한몫한다.

고등학교 입학을 64년에 내가 한 거 같다.
56년만인 올해 오늘
손녀가 입학시험을 치른다.

낙엽이 우수수

부는 바람결에 마구 쏟아진다.
가을이 마감되기 전,
월악산 송계계곡을 돌아오기로
했으나…. 사정이 있어,
농다리 주변으로
오늘 산행을 변경한다.

초평호 주변의 임도를 따르니,
울긋불긋 단풍으로
내 눈을 어디에 둘지…?
단풍 구경에 정신을 못 차린다.

임도 따라 자갈길을 밟으면서
초평호 갑판 도로에 이르니
도로 위로 쏟아진 낙엽
완전히 낙엽길이다.

햇빛 받은 초평호엔
맑은 물이 출렁대며
주변 단풍과 어울리며
아름다운 그림을 그려낸다.

쌀쌀한 아침 공기

입동(立冬)이 주변이다 보니
완전히 겨울 기분이다.

미호천 강변엔
백조만 계속 움직이고
흐르는 강물도 차갑게 느껴온다.

잔뜩 쏟아진 낙엽이
잣나무 수목원은 물론
걷는 오솔길도 낙엽에
가려져 낙엽만 밟고
뚜벅뚜벅 걷는다.

영하 5도까지 내려서며
된서리 뿌리더니
배추가 하얗게 변한다.

뽑아 묻어둔 무는
땅속에서 숨 쉬고
꺼트리지 담아둔 무청은
장독 속에서 숨 쉬나니,

6개월 후 먹거리로

그 맛이 새로우리라.
"꺼트리지"
어려운 시절 먹거리가

요즘엔 유기농 기호 음식,
처음으로 준비했으니
아주 많이 기대한다.

교황님께 드렸던 꺼트리지란다.

오늘도 신난 녀석
율무와 함께한다.

장끼가 솟구치며 나른다.
율무 짓인 것 같다.
빠른 녀석.~~

만보를 향해서
땀 흘리며 걷는 오늘,
맑은 공기 푸른 하늘
소나무 숲길의 피톤치드
은여울 산 너밖엔 없다.

건강은 쉼 없이
꾸준히 움직여야
내 몸에 배어든다.

미국이 요란하다

대통령 선거 개표가
마감 직전에
트럼프 꼬락서니가 모든 걸 중지시킨다.

선진국 중 강대국인 미국에서
상상할 수 없는 정치극이 전개된다.

내가 아니면
인정할 수 없다는 심보가
너무나 눈에 띈다.

투표 부정, 개표 부정,
우편투표, 사전투표가
선거법에 있으니까 진행된 건데
통째로 부정하다니?

세계인이 쳐다보고
각 대륙이 보고 있는 선건데,
상상할 수가 없다.

선거제도가 복잡한 건 이해가 되지만,
승자독식으로 주별 선거인 확정되면….
숫자 많은 쪽이 대통령 되는

오래된 선거제도에서
이번처럼 말썽이 일방적인,
그런 선거는 처음이 아닌가 싶다.
너무나 지저분하다.

결과는 여러 방법이 있다니
법원에서
국회에서 어쩌고저쩌고
야단법석인데….
두고 보면 어찌 될까?

촛불집회 성조기 집회
무력충돌 아우성이 일어날성싶다.

세계가 시끄러워도….
아침엔 차갑더니
점심 먹고 움직였더니
등에 땀이 젖는다.

푸석거리는 은여울 산
오솔길 기분을
기어이 해내느라
율무를 부추겼다.

맑고 고운 하늘은

어디로 가버렸나?

잿빛 하늘이 은여울 산
길목을 그늘로 둔갑시켜,
내가 걷는 발걸음이
많이 힘든 모양새다.

낙엽 밟으며 터벅터벅
낯익은 오솔길로 율무와 함께한다.

요 며칠 새에
산자락 모든 곳이
낙엽 천지로 둔갑하였다.

참나무 전나무 소나무에서 쏟아진
황갈색 낙엽이
지게질 때의 어린 시절엔
불쏘시개로 꽁꽁 묶어 짊어졌는데….

땅바닥에 쌓여가며
모판흙으로 퇴비 되니,
풍족한 세상임이 틀림없다.

이해인 수녀
주변의 아름다운 얘기가
고스란히 시로 나타나서
읽는 나를 편하게 하고,

법정 스님
많은 걸 깨달았음을
말씀에서 풍겨내 주셨으니
가슴에 품고 싶은 말씀이
너무나 많다.

법륜스님
즉문즉설에서 호되게
나무라며 자신의 탓이려니
스스로 느끼도록 가르치신다.

은여울 산 열봉에 앉아
내 머리를 털어가며
혼자서 웃는다.

오늘이 입동(立冬)

절기로는 겨울인데
날씨는 초가을 온도로
10도를 넘어선다.

그렇게도 내리던
된서리가 전혀 보이질 않는
포근한 날이다.

앞마당에 은행나무는
알맹이만 달고 있고
누런 은행잎은 땅바닥에
널려있다.
황금빛 마당이다.

세월은 쉬지 않고
내일을 향해 오늘을
가고 있다.

몇 잎 달고 있는 수목원 단풍잎이
햇빛 받아 맑아 보이나,
계절이 바뀌니
애처로워 보이기까지 한다.

억지로 우기는 곳
미국 대선정국이다.

보일 듯이 보일 듯이 며칠간을 헤매더니,
이젠 떼쓰는 모습이다.

잘살고 발전했다는
선진국이라 하더니만,
하는 짓은….
미개국처럼 너무나 지저분하다.

은여울 산 오솔길 따라
오늘도 걷는다.
우울한 내 맘 달래보려
서운한 기분을 떨쳐내려

크게 크게 숨 쉬면서
꼭짓점 향해 움직인다.
땀방울이 소록소록
등에 맺혀 더워진다.

실패는 성공의 어머니라 속담이 전해온다.
서운하더라도 재무장해
열심히 해내거라.

혼자서 중얼거리며 걷는다.

오르고 또 오르며

미호천 변 가로수가
푸르름이 사라지고
검붉은 색 단풍으로 눈에
들어온다.

메타세쿼이아 숲길이
얼마 있으면
앙상한 가지로 변해
새싹이 돋아날 시기를 기다리려나 보다.

사계절 푸른 소나무처럼
인식되었던 나무인데
단풍들기 시작하니
서운하기까지 하다.

은여울 오솔길엔
부스럭거린 낙엽 소리가
전 구간에서 들려온다.

누릴 거 다 누리고
없는 것 없이 모든 걸 다 가진 트럼프가
지저분한 욕심으로
눈살 찌푸리게 하더니,

점잖은 바이든에게
완전히 나가떨어진 듯,
세계뉴스가 정리된다.

자기만을 위하고
자국만을 위하며
전 세계를 손바닥에서
주물럭대더니…
속이 후련함은 나만의, 생각일까 싶다

살기 좋은 세상은
욕심부린다고 되는 건
아닌가 보다.

맑고 깨끗한 가을 날씨로
쌀쌀함이 몸에 들어오지만,
오르고 또 오르며
만보 코스 걷다 보니

쏜살같이 또 달려가겠구나.
세월이….

새벽공기가 제법 차다

미호천 상류
햇빛이 비치는 방향에,
흐르는 물 따라
낮게 깔린 아지랑이가,
밥솥에서 스팀 올라오듯
이쁘게 꿈틀댄다.

아무나 볼 수 있는
그런 풍경이 아니다.

지상 온도가 차가운 듯
물 위에 모습을 보이니
잠깐 후면 없어지리라.

하루 쉬고 은여울 산
오솔길을 찾았더니,
율무가 뛰는 곳에
갈색낙엽이 뒤덮여있어.
율무 모습이 감춰진다.

엄청난 속도로 가을이 지나가고
추위가 다가서는 겨울이
오는듯싶다.

무 배추 손질하여
김장한다 야단이니,
금주 내내
운동은 노동으로 대체한다.

찬물과
함께 움직이며
부지런히 움직여대야
대접받는 노인이니,
최선을 다하리다.

오솔길 오르막을
싸묵싸묵 걷다 보니
맑고 푸른 하늘에
차가움이 없어지고
땀방울이 몸에 온다.

만보 코스
늘 가는 곳
앞서서 움직이는 율무다.
김장하는 현장으로
서둘러 내려선다.

배추를 뽑아

아침부터
배추를 뽑는다.

무는 된서리 오기 전에
이미 뽑아서,
땅속에 자리한다.

늦가믐에
물기가 부족했던지
배춧속이
시래기처럼 변색하여
아주 속상하다.

물뿌리개로 물을 뿌리며
안간힘을 쏟았건만,
건조함에서 못 벗어난
배추 두둑은 일부가 상했다.

골라서 김장하다 보면
풍족하진 못할듯하다.
어차피 고춧가루가 부족하니
적은 대로 마무리하자.

추운 날씨는 아니어서
김장하기엔 최적이다.

어젯밤에 살짝 얼어서
조심스레 배추를 뽑는다.

100여 포기 자르고 절이고
다듬고 씻어 주다 보면
함께해야만 수월하니,
사사건건 서비스가 필요하다.

세상살이 모든 것이
의견을 나누며 일구듯이
김장철에 김장 일도,
함께하며 즐겨보자.

고기도 굽고
겉절이
맛도 봐가면서
김장을 즐겨보자.

율무야!
은여울 산은
못 가는 거다.
알았지?

김장

김장한다고
아침부터 움직였더니
등에 맺힌 땀방울이 마르질 않는다.

뽑아서 옮기고
쪼개고 소금 뿌려 숨죽이는
일과까지 하고 나서야
운동시간이 나타난다.

율무와 미호천 강변
들판을 향해 움직였더니
논배미엔 소먹이는 짚 뭉치만 서 있고,

빈 땅은 갈아엎어서
내년을 대비하고 있었다.

미호천 강변에는
물이 빠져나가선지

얕은 곳 여기저기에
하얀 백로며 오리가
떼 지어 쉬고 있다.

겨우살이 준비

화요일부터
밭에 심어진 무, 배추 뽑아다가,
여러 과정 거치면서
2집 김장 마무리했더니
토요일 오전에야 마무리된다.

꼭지 따는 일
여기저기 다니면서
비벼서 담은 김치,
김치통 뚜껑 닫고 옮기고
야단법석을 떨다 보니,

양념이 여유가 있으니
싱싱한 무로
깍두기까지 담아둔다.

조미료 설탕도 전혀 사용치 않고
전어젓 새우젓에
맛깔스럽게 김장했으니,
올해 겨우살이는
걱정 없을성싶다.

온통 붉은 낙엽

미호천 상류
메타세쿼이아 가로수길
양옆으로 갈색 나무가
쭉 솟은 체
길목이 벌겋게 낙엽 든다.

쏟아지는 순간만 기다리는 듯
온통 붉은 낙엽이다.

기이할 정도로 붉은색이
줄을 서 있다.

김장하는 일에 보조하느라
며칠 만에 도착하니,
계절이 엄청 깊어진 모습이다.

흐르는 강물은,
오후 시간대라서
맑고 푸른색으로 빛을 받아,
내 맘도 개운하게
번쩍거리며 흐른다.

수목원 가파른 길

허리를 움켜잡고 걷기를
시작하니 떨어진 낙엽이
발등을 덮어온다.

떨어져야 할 낙엽은
바닥에 몽땅 쌓여있으니
누워있는 율무가
낙엽 속에 묻혀든다.

김장 때문에 모인 가족
손자 손녀 모두 모여
케이크에 불 켜놓고
생일축하 노래한다.

일 년에 한 번은
어김없이 찾아오고,
모여주니 가족사랑….
엄마로서 행복한 거 같더구나.

손자 손녀 모두가
손에 꽃을 들고
축하공연 하다 보니
당겨서 하는 축하도
느끼기는 똑같구나.

인간극장

오늘 시작된 인간극장엔
한씨(韓氏)네 가원(家原)이 소개된다.

알래스카에서 살던 여자
러시아에서 살던 남자가,
한국의 연천에,
8년 전에 심었다는
밤나무에서 밤송이를 따는 걸 보니,
자리 잡은 지 꽤 되어 보인다.

자연에서 살며 먹거리를
생산하는 한 쌍의 부부,
57살 동갑내기
두 남녀를 그려내고 있다.

머리에 든 것이 많은지
모든 것을 자급자족하고
농기구 생활기구를
스스로 만들어서 쓰고 있다.

원시인의 삶에서
배워 온 듯한
멋진 부부다.

온돌방에서 뜨뜻이 살고
들깨 기름을 짜내서
먹고 팔아 생활한다니?

시골에서도
넉넉한 삶을 누릴 거도 같다.

도회지를 벗어나서
넓은 땅을 거느리고
풀 깎고 밤 따는 모습에서
나와 비슷한 모습도
일부는 읽어낸다.

스스로 농기계를 만들거나
조작하는 기술이
나에겐 없으니 다르다.

내일은
어떤 모습이 그려질지
자못 궁금하기도 하다.

자연에서의 멋진 삶
인간이 살아야 할 자연 속을
볼 거 같다.

오후 늦은 시간

금방이라도
비가,
쏟아질 듯이 컴컴한
하늘이다.

비 내린 지 제법 된듯하지만
자라는 농작물이 없다 보니
비 내림을 기다리지는
않는다.

건조한 날씨가 이어지니
미세먼지가 극성을 부리는 듯,
눈에 보이게 뿌연 하늘이
그렇게 반갑지 않다.

볼일이 있어.
세종에서 오전을 보내고
오후 늦은 시간에
율무와 산에 오른다.

아침에 목욕한 율무가
뽀송뽀송한 갈색 털을
날리면서….

신나게 움직인다.
기분이 썩 좋아 보인다.

낙엽 쌓인 오솔길에서
이리저리 뛰지만,
율무 털이나 낙엽이나
같은 색이니, 이따금
내 눈을
벗어나기도 한다.

매일 걷는 그 길이지만
이따금 힘들 때가 있다.
몸 상태가 그렇게 좋지 않은 듯,
오늘도 아주 힘들다.

등에 흐르는 땀방울이
나에게 힘들다 알린다.

느지막이
하늘 저 멀리 밝은 햇살이
쏟아진다.
소나무 사이가 밝아진다.

엄청 많은 안개가

주변을 둘러쌓은 체
진동하는 수준이다.

가까운 산은 구름 속에
끼어들어 뿌옇게 변해 있고
미호천 강변에는
물 위를 떠도는 오리 떼가
구름 속을 달리듯 움직인다.

어젯밤에 내려준 비가,
은여울 산 오솔길에
수북이 쌓였던 낙엽에 묻어
촉촉한 산길로 변해 있다.

물 섭취한 소나무 푸른 잎
생기가 도는 듯
푸른 기분이 눈에 온다.

생생한 자연을 보고
면역력을 키우는 나날이
얼마나 중요한지를 생각해본다.

아픈 몸을 이겨내려고

마지막 순간에 자연 속을 찾아들고,

자연에서 유기농으로
내 몸에 좋은 식사를 하다 보면
면역력이 생겨나서
스스로 건강이 돌아선다.

알래스카에서 연천에
시집온 여인이 경험담으로
들려준다.

2달간의 의식 없던 생활에서
활력을 찾고 면역력을
갖게 되어서 행복한 나날이
계속된다니 자연이 얼마나 좋은 건가?

꿈같은 세상을 사는
젊은 부부의 인간극장,
하루하루가 즐겁다니 배우고 싶다.
그렇게 지내고 싶다.

20년만 젊어져서 손재주가 있다면….
정말 해보고 싶다.
그렇게 나도 살고 싶다.

축사 지붕을 두들기며

쏟아진 빗방울 소리가
유난히도 웅장했던 밤이었다.

몰아치는 바람 소리까지
요란을 떨더니,
마당에 흥건히 물이 보인다.

오늘 내일까지
비가 올 거라고
예보한다.

비가 멈추고 나면 소설(小雪)이
다가서니,
찬 기운이 온몸을
움츠리게 할성싶다.

어김없이 찾아드는 겨울,
가을로 상징되던 단풍도
내 눈에서 멀어지고,
하얀 눈이
눈에 띄는 연말이 지척이다.

앙상한 가지에

눈꽃 피는 한(寒)겨울,
찬 기운에도 코로나는
물러나지 않으려나?

은여울 산 오르막길
오늘은 쉬겠구나.

율무야!
비 오는 날엔 집에서
쉬는 거란다.

김장 끝낸 요즈음,
먹거리는 걱정 없고
군고구마 군밤에
이따금 손길이 딸려간다.

참아야 하느니라.
탄수화물 과다섭취는
비만의 지름길이다.

흙탕물이 보인다

미호천 강변에 이르니
어제 내린 비 때문에
푸르고 맑은 강은 어디론가
사라지고,

갈색 단풍 빛으로 변한
미호천 강물이
내 눈을 흐리게 한다.

흐린 물에서는 고기가
안보이니 오리나 백로도
그 흔적을 찾기가 어렵다.

움직이는 고기가
눈에 안 보이니,
영리한 백로가 올 리가 없다.

영하의 날씨처럼
아주 차갑다.
손등이 차고 콧잔등이
매콤하다.

숨을 몰아쉬며

찬바람을 뱃속에 옮기니
시원함이 전해온다.

더운 날보다 걷기에는
편하지만 어쩐지 쓸쓸하다.

비 내린 뒤로
오솔길 낙엽은,
누군가에 의해 깨끗하게 치워졌다.

산을 오르내리는
학생야영장 직원분들이
수고해준 거 같다.

봉사해준 그분들께
감사드리며 걷는다.

미호천 강변의 가로수길에
메타세쿼이아 낙엽,
도로에 흠뻑 쏟아져
길목이 온통 붉은색이다.

차량 움직이는 흔적이
기찻길에 레일처럼
나란히 나란히….
평행선을 만들어 둔다.

유난히도 번쩍거린다

흐르는 물줄기에
맑은 하늘에서 쏘아대는
밝은 햇살에 출렁이는
물살이 너무나 아름답다.

아래쪽 모래톱엔
먹이 찾아 모여든 오리떼
줄지어서 먹거리를 찾는다.

흐린 물속에서
고기 찾는 모습이
흙탕물을 원망하는 눈치다.

겨울다운 차가움이
온몸을 움츠리게 하지만
아침 그 시간이면 문틀을
흔드는 녀석….
율무 덕에 은여울을 향한다.

시작하면 가볍고
하루가 개운해짐은,
늘 몸으로 느끼면서도
쉼 없이 운동하는 것은

크게 맘먹어야 가능한 거 같다.

코로나 19가 확진 환자 늘려가며
두려움을 갖게 하는 요즘,
갈수록 불안해지니
시골 마을 내 주변도 행여
어쩔까 많이 망설인다.

사람이 없는 곳, 사람이 많은 곳
어디서 살아야 할지?
망설여지는 세상이다.

방에서 나오지 말고
연말을 보내자는 운동,
총리가 부탁하는 국민운동이니
오죽 답답하면…. 저럴까?

눈만 뜨면 안내문자가
계속되는 핸드폰 문자다.
스마트폰이 없었다면,
얼마나 답답한 세상이었을까?

백신이 개발되었다니
쪼끔만 참으면 자유스러운 세상살이가
올 것도 같다만….

소설(小雪)이 오늘이다

눈이 내려야 하는 소설에
영상 기온이 계속되니
내리던 눈이 비로 변한듯하다.

비 오는 소리에 새벽잠을
깨어보니
상당히 많은 양의 비가 보인다.

24절기의
일정도 조정해서 불러야만
될 거만 같다.

기상이변임은 부인할 수가 없다

비가 멈춘 사이에
시원한 공기를 맞으러
은여울 산을 오른다.

빠른 속도로 검은 구름이
하늘을 움직이고
앙상한 나뭇가지엔
물방울이 주렁주렁 영롱한
동그라미를 수없이 달고 있다.

비 맞은 오솔길엔
이따금 물기가 고여있고,
옷소매 사이로 스며든 찬바람이
등줄기 땀을 식히는지
차가움이 몸에 온다.

여기저기 이웃집엔
김장하는 바쁜 소리가
지원을 요청하는 듯,
힘들게 움직이는
옆지기 모습이 안타깝다.

우리 일은 식구끼리하고
이웃이
지원 요청한 딱한 소식에
계속 움직이니,
지켜보는 내 마음이 편하지만
않는구나.

만보 코스 은여울 산에
율무와 행동하는 나로서는
감히 엄두도 낼 수 없다.
착한 여보야,
복 받을 거야.♡

갈수록 태산이라더니

코로나가 무섭게 번진다.

하루에 3백 명이 넘어서고
수도권에
오늘부터 방역수준을 2단계로 올린다니,

모든 소상공인이 영업에
크게 제한받으며
어렵게 살아가야 하는가 보다.

멀쩡한 사람들끼리
만나서 움직이면 전염된다니,
감기처럼 번져가는 코로나가
인류를 어딘가로 쓸어가는
모양새임이 틀림없다.

무인도로 들어가서,
시골 산속으로 들어가서,
자연인의 삶으로
아니 원시인의 삶으로
인간이 되돌아서야 하는성싶다.

차가움이 더해가는 날씨다.

나라님들이 제동 거는 여러 모습에
세상살이만 팍팍해지니
이게 누구의 탓일꼬?

내 탓으로 돌리고
버티며 살다 보면 펴지는
세상도 나타나겠지?

참고 이겨내면
좋은 세상 행복한 세상이
돌아오겠지?
그냥 기다려 볼 수밖엔 없다.

율무야!
너처럼 살아야 하는 거지?

먹고 싶으면 먹고
뛰고 싶으면 뛰고
움직이고 싶으면 문틀만
긁어대고….

넌 하고 싶은 대로
매일매일 즐기는 거 맞다.
내 몸이 차가운데….
넌 춥지도 않은 거 같구나.

영하로 내려선 아침

게으름피우기 딱 좋은
아침 분위기다.

주치의 선생님이
온몸을 단속하고 산행하라는
주문이 와있다.

두툼한 조끼로 몸을 감싸고,
은여울 오솔길을
뚜벅거리며 오른다.

비탈길에서 햇볕을 쬐니
따뜻함이 온몸에 전해진다.

태양 없는 밤,
구름 가린 낮,
따스함이 없는 세상이다.

방송에서 떠든다.
무증상 감염으로 젊은 층
코로나 환자가 계속하여
번진단다.

몸에 들어선 코로나가
젊고 건강한 젊은 층엔
환자인 줄도 모르고 그냥
지나칠 수도 있다는데,

나이 들어 늙어가며
성인병에 시달리는 노인,
우리 또래는 걸려들면 너무 위험하다.

스스로가 조심하며
사람 모이는 어디라도
피하는 게 상책이다.

그냥 산속이나 헤매면서
맑은 세상 돌아오길
학수고대할 수밖엔 없다.

은여울 오솔길에서
멀리 떠가는 헬기를 쳐다보며
흘러가는 구름 속에 내 마음을
담아본다.

둥둥 떠다니는 하얀 구름
네 모습이 그립구나.
훌훌 털고 어디론가로
날아보고 싶구나.

모과

안개 낀 하늘 아래 어렴풋이
해 모습이 나타난다.

된서리 보이고 안개가 눈에 띄면
맑은 날이 올 거란 건,
너무도 뻔한 이치다.

하루건너
은여울 오솔길에 올라선다.

여기저기 집주변에
모과가 뒹굴더니
모으고 또 모아서 집안에 쌓아둔다.
모과 향이 진동한다.

가장 못생긴 과일,
주먹 크기로 자라나서
누런색으로 익어가면
모과에서 쏟아지는 향기는
꽃향기는 비교할 수 없다.

감, 배, 사과 등 어떤 과일도
열매에서 향기를 쏟아내는

그런 모습은
아직 찾지를 못했다.

유달리 못생김을
한탄이라도 하는지,
모과가 쏟아내는 향긋한
그 향기는 내 코를 너무 즐겁게 한다.

설탕에 버무려서
숙성된 후의 모과 식초는
면역력을 극대화 시키고
비타민 등 영양소가
겨울 감기를 아예 차단한다.

코로나바이러스,
너도 아마
모과 수액이 영향을 줄 거만 같다.
어쩐지 좋을 것만 같다.

만보 코스 은여울 오솔길
쌓인 낙엽을 말끔히 치워준
고마운 분들 덕분에,
맑은 공기 파란 하늘
떠가는 하얀 구름에 내 마음
잔뜩 담고 흥얼대며 걷는다.

구름 낀 날씨 속에

미호천 변 물속엔 많은
물고기가 움직이는듯싶다.

오리가 떼 지어 훑어가고
그 위로 백로 한 마리
오리 떼를 따른다.

청주공항을 출발한
우렁찬 비행기는
걷고 있는 은여울 산 길목 위로
요란한 소리를 울리며
하늘을 나른다.

오창공단의 수출 물품이
해외로 움직이는지
쉴 새 없이 떠다닌다.

흐린 날씨 속에서
은여울 산에 도착하여
7부 능선을 넘어서니,
드디어 햇살이 보인다.

등 뒤로 따뜻함이 다가서니

한결 부드럽다.
추위를 느끼는 계절
겨울임이 틀림없다.

낙엽이 매달린 곳
마지막 잎새를 찾아,
텅 빈 가지를 눈여겨 살피면서….

고상함을 상상하며
시를 쓰는 그분들을 머리에
그려본다.

달랑 한 닢만 붙어서
내 카메라의 목적물이 될만한
멋진 모습은 아예 찾을 수가
없으니….
서운하기까지 하다.

숨을 몰아쉬며
답답한 가슴속을 뿜어내고
빨아들이고….
건강을 지키려,
뚜벅거리며 산을 오른다.

과격한 운동

오히려 몸에 해가 된다니,
매일 하던 산행 코스도
생각해보라는 주치의 선생님
부탁이다.

30~40분의 가벼운 운동이
내 몸을 유지하는 좋은 운동이라니,
부족한듯하더라도
주변을 살펴야 할 거 같다.

율무의 성화에 나서긴 했으나,
집 뒤쪽 무량사 쪽으로 걷는다.

농작물이 모두 걷힌 들판
황량한 모습이고,
논배미 모서리 쪽 귀퉁이엔
소 사료가 하얗게 쌓여있다.

둥글게 감아둔 소 사료가
쌀값에 거의 육박하니,
농민들이 너나없이 볏짚을
사료로 파는 모양이다.

수입하던 건초 사료가
거의 해결되는 듯
젖소목장에 볏짚 사료만
잔뜩 쌓인 것이 눈에 띈다.

손자가 신으려던 고급
도보여행 운동화가 작아서
못 신는다고?
내 발에 꼭 맞는 걸 보니
핑계 대고 내걸 산 거만 같다.

고급스러운 명품운동화
내 발이 호강한다.
어찌 되었건 고맙구나.♡

마당을 돌고
축사를 돌고
무량사 뒤쪽 밭도 가보고
평지를 걸으며 시간을
보내본다.

은여울 산 오솔길은
내일로 미루면서,
오늘은 주치의 선생님 만나,
내 몸을 살피기로 한다.

구름이 잔뜩 끼어

개운하지 않은 기분이다.
서서히 걷혀가는 듯
구름 결이 움직이는 모습이
산등성이에서 관측된다.

초비상 정국에
코로나까지 겹쳐서 어울리니
세상이 어찌 돌아갈지….
중심이 안 잡힌다.

검찰개혁이
기득권세력의 버팀으로
흐지부지될 것인지?
기어이 헤쳐나가며
바른 사회로 들어 설려는지?

남과 여자가 한바탕,
추씨와 윤씨가 힘겨루기,
씨름판을 바라보듯
국민은 살피는데….
결판은 날 것도 같다만

가정 살림도 힘겨루기가 있으니.

나랏일이니 쉽게 쉽게
풀려가기야 하겠느냐?

여와 야는
사사건건 부딪치기만 하고
코로나는 무섭게 번져나가는데,
AI 가축병에 오리가 떼죽음
되는 뉴스까지 잡힌다.

살기 좋고 행복한 나라
걱정 없이 사는 세상으로
탈바꿈되기를 기다리면서
뻑뻑한 가슴을 쓸어내려
율무와 난,
은여울 산에 오른다.

코스를 줄여서
내 몸이 운동에 시달리지
않도록….
주치의 선생님 말씀을
새겨듣기로 했다.

맑은 날이다

11월이 마지막 가느라
꽤 추운가 보다.

영하 7도를 넘기는 새벽,
집 바깥쪽에 물 담아둔
물그릇이 꽁꽁 얼었다.

율무는 혀를 돌려서
물 먹는 걸 해결해야만
목마름을 해결하리라.

은여울 산 오솔길 입구
미호천 변에 백로와 오리는
맑음을 즐기는지,
물속을 노리고 즐기고 있다.

오르막길 습한 지점엔
물기가 얼어서
서릿발을 세우며 흙을
밀어 올렸는지
푸석거림이 발바닥에 온다.

오늘을 넘기면

내일은 12월이다.

올해의 마지막 달이
엊그제 시작한듯하더니
벌써 다가선다.

세월이 빠른 거는
나잇살깨나 훔친 노인에겐
속도감이 더한다더니
진짜로 빠른 거 같다.

목 언저리에 털수건을
둘러치고
단단히 차려입고 나선 오늘
따스한 햇볕이 비쳐오는
언덕에선 따뜻함이 몸에 온다.

옆구리 터진 김밥처럼
등산화가 볼품없었는데
과감히 버려버리고
멋진 운동화로 단장하고
가볍게 걷고 있다.

손자 덕을 톡톡히 본 셈이다.
과연
편하고 좋구나.

축하의 글 I 아버지의 삶을 이해하며 존경

막내아들 오형기(한국해양교통안전공단 책임검사원)

30년간의 공직 생활을 마치신 후 충북 진천에서 자연과 함께하며 느끼신 바를 책으로 엮으심을 축하드립니다. 바쁘게 살아가느라 신경 쓰지 못했던 아버지의 삶을 이해할 기회가 되었다는 점에서 매우 감격스럽습니다.

아버지가 귀농하신 것은 당신의 건강을 챙기지 못한 채 가족들을 위해 희생하신 삶을 돌아볼 때 어쩌면 당연한 선택이었겠지요. 젊은 시절 도시에서 치열하게 살아갔던 아버지가 이제는 과거의 당신과 같은 삶을 살아가고 있는 자식들을 조용히 지켜보며 느낀 바를 표현한 것이 독자의 공감을 끌어낼 수 있을 것으로 생각합니다.

누군가는 아름다운 시골에서의 삶을 동경합니다. 그러나 때로 지독한 외로움을 견뎌내야 한다는 것을 잘 알고 있습니다.

노년의 건강한 삶을 위해 하루하루 자신과 싸움을 게을리하지 않는 아버지를 존경합니다. 그런 아버지의 삶이 닮긴 소중한 작품이 세상에 나온다니 감회가 남다릅니다. 출간을 다시 한번 축하드립니다.

축하의 글 Ⅱ　　　삶은 축복이라고 노래

최수권(수필가, 前세계문인협회 부이사장)

시는 시인의 정신세계를 포괄할 때,
이미 우주의 소리와 몸짓을 담고 있는 상징의 광범위
한 영역을 감당하기 때문에 단순한 암시의 해설에 머
무는 일은 단편적인 현상에 떨어질 염려가 있다.

인간의 내면 심리는 단순한 부호나 해설로는 결코 감
당할 수 없을 만큼 다양하고 복잡하다는 것이 무의식
의 층을 이루는 깊이에서 증거를 확보할 수 있을 것
이다.

시는 인간 생활의 현상적인 것을 다루는 것이 아니라
보이지 않은 어둠의 측면을 빛의 세계로 건져 올리는
작업이 우선하기 때문에 때로는 부호요, 암시의 손짓
일 뿐이라는 사실을 도외시할 수 없는 일이다.

궁극적으로 시를 바라본다는 것은, 곧 한 인간의 내
면을 통찰해야 한다는 문제로 귀결(歸結)한다.

인간의 내면은 항상 질서 지워진 길이 있지만,

이를 명쾌하게 분석할 수 있는 가시적인 세계는 결코 아니다.

어둠 깊은 곳에 어느 순간에 불리어 나오는 형상은 시의 중심 모티브가 되기도 하고, 또는 지엽적인 잔가지의 역할에 머물기도 하지만, 내면의 강은 아슬하고 무한하다.

ㄱ래서 인간의 지혜가 감할 수 없는 신비의 구조물이요, 인간의 내면세계인 것이다.
시는 여기에서 출발한다.

산다는 것은 인간 자신의 가치를 확인하는 문제이자, 자기를 검증하면서 또 다른 자기에 관심을 두는바, 여기서 고뇌의 제문제(諸問題)를 파생하게 되고 또 이런 파생의 일들을 처리함으로 또 다른 문제를 만나게 되는 연결고리의 순환에 이끌리는 것들을 존재라는 이름으로 처리한다.

살아 숨 쉼으로 발생하는 일들이 인간의 고뇌(苦惱)요, 또는 이런 일상을 되풀이함으로 자기의 위치와 자기의 문제를 해결해 나감으로 인간은 자기 확인 절차를 외면할 수 없게 구조화된다
이런 일상사를 살아가면서 봉착하게 되는 것들은 각

기의 삶의 특징으로 나타나면서 시(詩)의 중심 의미를 만들어가게 된다

삶의 후반을 지나는 시인(저자)은. 지나온 시간, 그 노정(路程)에서 고뇌의 거친 숨소리를 시의 옷자락에 감추고 있다.

인간은 길을 가는 존재이다. 길은 하나의 길이 아니고, 갈래가 많고 중첩(重疊)되는 미로를 헤매는 것이라, 일생은 길 찾기의 운명인 것이다.

시인(오석원)은 그 삶의 여정이 예사롭지 않았다. 그래서, 깊은 감성의 시어들이 자연을 통한 인간 심리의 변화를 노래하고 있는 듯하다.

시인은 시에서 노년(노을)의 그림자를 밟고 있는 자각의 문 앞에서 뒤돌아보는 처연한 아픔이 뒷전에 담겨 있는 고백인듯하다.

은퇴한 시골 노인은 삶은 축복이라고 노래하고 있다.

거듭 시집 발간을 축하합니다.

편집자(編輯者)의 말　　　풍성한 가을 이야기

귀농 시인 오석원 님은 30년이 넘게 국세 행정 전문
가로 살다가 지병 때문에 아무 연고도 없이 살기 좋은
생거진천 농다리 길로 24년 전 귀거래(歸去來)했다.

자연을 벗 삼고 맑은 물 좋은 공기 속에서 행복하게
살며 2남 1녀를 모두 성혼(成婚)시키고 의사, 약사,
공기업 임직원으로 이끌어 부모의 소임을 훌륭하게
감당했다.
삶에서 감사(感謝)를 잃지 않고 늘 깨끗한 사랑의 눈
으로 보는 세상 이야기는 하루하루가 그대로 시가 되
었다.
특히 2020년 코로나 19로. 전 세계가 심히 어려운 상황
에서 일상의 소중함을 깨닫기에, 진달래 출판사에서 시
인(詩人)의 가을 이야기를 담아 코로나 19와 함께한
잔잔한 행복을 서로 나누고자 시집(詩集)을 마련했다.

책으로 내도록 허락하고 도와주신 시인에게 감사드리며.
늘 건강하고 행복이 넘치길 소망한다.

2021년 1월에

진달래 출판사 대표 오태영(시인, 작가)